...So ist es vielleicht genau dies unentbehrliche Etwas, das Element »Schiller«, an dem es unserer Lebensökonomie, dem Organismus unserer Gesellschaft kümmerlich gebricht. So wollte es mir scheinen, als ich seine »Öffentliche Ankündigung der Horen« wieder las, dieses herrliche Stück Prosa, worin er das auch seiner Zeit schon ungemäß Dünkende zum Dringlichst-Zeitgemäßen erhebt, es zum Labsal macht jedem Leidenden. Je mehr, sagt er, das beschränkte Interesse der Gegenwart die Gemüter in Spannung setze, einenge und unterjoche, desto dringender werde das Bedürfnis, durch ein allgemeines und höheres Interesse an dem, was rein menschlich und über allen Einfluß der Zeiten erhaben ist, sie wieder in Freiheit zu setzen und die politisch geteilte Welt unter der Fahne der Wahrheit und Schönheit wieder zu vereinigen. Während seine Zeitschrift, sagt er, sich alle Beziehungen auf den jetzigen Weltlauf und die nächsten Erwartungen der Menschheit verbiete, wolle sie über die vergangene Welt die Geschichte und über die kommende die Philosophie befragen, zu dem durch die Vernunft aufgegebenen, in Erfahrung aber so leicht aus den Augen gerückten Ideal veredelter Menschheit einzelne Züge sammeln und arbeiten an dem stillen Bau besserer Begriffe, reinerer Grundsätze und edlerer Sitten, von dem zuletzt alle Verbesserung des gesellschaftlichen Zustandes abhänge. »Wohlanständigkeit und Ordnung, Gerechtigkeit und Friede werden also der Geist und die Regel dieser Zeitschrift sein.«

Thomas Mann aus seiner Stuttgarter Schiller-Rede, 8. 5. 1955

insel taschenbuch 226
Schiller
Leben und Werk
in Daten und
Bildern

FRIEDRICH SCHILLER

Leben und Werk in Daten
und Bildern

Ausgewählt und erläutert von
Bernhard Zeller und
Walter Scheffler

Insel Verlag

Umschlagabbildung:
Friedrich Schiller. Ölgemälde von Ph. Fr. Hetsch, 1782.

insel taschenbuch 226
Erste Auflage 1977

Vertrieb durch den Suhrkamp Taschenbuch Verlag
Umschlag nach Entwürfen von Willy Fleckhaus
Druck: Nomos Verlagsgesellschaft, Baden-Baden
Printed in Germany

2 3 4 5 6 7 – 92 91 90 89 88 87

INHALT

SELBSTZEUGNISSE AUS BRIEFEN

...Von der Wiege meines Geistes an bis jetzt, da ich dieses schreibe, habe ich mit dem Schicksal gekämpft, und seitdem ich die Freiheit des Geistes zu schätzen weiß, war ich dazu verurteilt, sie zu entbehren. Ein rascher Schritt vor zehn Jahren schnitt mir auf immer die Mittel ab, durch etwas anders als schriftstellerische Wirksamkeit zu existieren. Ich hatte mir diesen Beruf gegeben, eh ich seine Forderungen geprüft, seine Schwierigkeiten übersehen hatte. Die Notwendigkeit, ihn zu treiben, überfiel mich, ehe ich ihm durch Kenntnisse und Reife des Geistes gewachsen war. Daß ich dieses fühlte, daß ich meinem Ideale von schriftstellerischen Pflichten nicht diejenigen engen Grenzen setzte, in welche ich selbst eingeschlossen war, erkenne ich für eine Gunst des Himmels, der mir dadurch die Möglichkeit des höhern Fortschritts offen hält, aber in meinen Umständen vermehrte sie nur mein Unglück. Unreif und tief unter dem Ideale, das in mir lebendig war, sah ich jetzt alles, was ich zur Welt brachte; bei aller geahndeten möglichen Vollkommenheit mußte ich mit der unzeitigen Frucht vor die Augen des Publikums eilen, der Lehre selbst so bedürftig, mich wider meinen Willen zum Lehrer der Menschen aufwerfen. Jedes unter so ungünstigen Umständen nur leidlich gelungene Produkt ließ mich nur desto empfindlicher fühlen, wie viele Keime das Schicksal in mir unterdrückte. Traurig machten mich die Meisterstücke anderer Schriftsteller, weil ich die Hoffnung aufgab, ihrer glücklichen Muße teilhaftig zu werden, an der allein die Werke des Genius reifen. Was hätte ich nicht um zwei oder drei stille Jahre gegeben, die ich frei von schriftstellerischer Arbeit bloß allein dem Studieren, bloß der Ausbildung meiner Begriffe, der Zeitigung meiner Ideale hätte widmen können! Zugleich die strengen Forderungen der Kunst zu befriedigen und seinem schriftstellerischen Fleiß auch nur die notwendige Unterstützung zu verschaffen, ist in unsrer deutschen literarischen Welt, wie ich endlich weiß, unvereinbar. Zehen Jahre habe ich mich angestrengt, beides zu vereinigen; aber es nur einigermaßen möglich zu machen, kostete mir meine Gesundheit. Das Interesse an meiner Wirksamkeit, einige schöne Blüten des Lebens, die das Schicksal mir in den Weg streute, verbargen mir diesen Verlust, bis ich zu Anfang dieses Jahres – Sie wissen, wie – aus meinem Traume geweckt wurde. Zu einer Zeit, wo das Leben anfing, mir seinen ganzen Wert zu zeigen, wo ich nahe dabei war, zwischen Vernunft und Phantasie in mir ein zartes und ewiges Band zu knüpfen, wo ich mich zu einem neuen Unternehmen im Gebiete der Kunst gürtete, nahte sich mir der Tod. Diese Gefahr ging zwar vorüber, aber ich erwachte nur zum neuen Leben, um mit geschwächten Kräften und verminderten Hoffnungen den Kampf mit dem Schicksal zu wiederholen...

An Baggesen, Jena, 16. Dezember 1791

... Ich stelle mir vor, jede Dichtung ist nichts anderes als eine enthusiastische Freundschaft oder platonische Liebe zu einem Geschöpf unsers Kopfes...

... Das aber wäre bewiesen wahr, daß ein *großer* Dichter wenigstens die Kraft zur höchsten Freundschaft besitzen muß, wenn er sie auch nicht immer geäußert hat. – Das ist unstreitig wahr, daß wir die Freunde unserer Helden sein müssen, wenn wir in ihnen zittern, aufwallen, weinen und verzweifeln sollen, daß wir sie als Menschen außer uns denken müssen, die uns ihre geheimsten Gefühle vertrauen und ihre Leiden und Freuden in unsern Busen ausschütten. Unsere Empfindung ist also Refraktion, keine ursprüngliche, sondern sympathetische Empfindung. Dann rühren und erschüttern und entflammen wir Dichter am meisten, wenn wir selbst Furcht und Mitleid für unsern Helden gefühlt haben. Ein großer Philosoph, der mir nicht gleich beifallen will, hat gesagt, daß die Sympathie am gewissesten und stärksten durch Sympathie erweckt werde. Itzt denke ich diesen Satz in seiner ganzen Deutlichkeit. Der Dichter muß weniger der Maler seines Helden, er muß mehr dessen Mädchen, dessen Busenfreund sein. Der Anteil des Liebenden fängt tausend feine Nuancen mehr als der scharfsichtigste Beobachter auf. Welchen wir lieben, dessen Gutes und Schlimmes, Glück und Unglück genießen wir in größeren Dosen, als welchen wir nicht so lieben und noch so gut kennen. Darum rührte mich ›Julius von Tarent‹ mehr als Lessings ›Emilia‹, wenngleich Lessing unendlich besser als Leisewitz beobachtet. Er war der Aufseher seiner Helden, aber Leisewitz war ihr Freund. Der Dichter muß, wenn ich so sagen darf, sein eigener Leser und, wenn er ein theatralischer ist, sein eigenes Parterre und Publikum sein. –

An Reinwald, Bauerbach, 14. April 1783

... Noch bin ich hier, und nur auf mich kommt es an, ob ich nach Verfluß meines Jahres, nämlich am 1. September, meinen Kontrakt verlängern will oder nicht. Man rechnet aber indes schon ganz darauf, daß ich hierbleiben werde, und meine gegenwärtigen Umstände zwingen mich beinahe, auf längere Zeit zu kontrahieren, als ich vielleicht sonst würde getan haben...
... Gott weiß, ich habe mein Leben hier nicht genossen und noch einmal soviel als an jedem andern Orte verschwendet. Allein und getrennt! – Ungeachtet meiner vielen Bekanntschaften dennoch einsam und ohne Führung, muß ich mich durch meine Ökonomie hindurchkämpfen, zum Unglück mit allem versehen, was zu un-

nötigen Verschwendungen reizen kann. Tausend kleine Bekümmernisse, Sorgen, Entwürfe, die mir ohne Aufhören vorschweben, zerstreuen meinen Geist, zerstreuen alle dichterischen Träume und legen Blei an jeden Flug der Begeisterung. Hätte ich jemand, der mir diesen Teil der Unruhe abnähme und mit warmer, herzlicher Teilnehmung sich um mich beschäftigte, ganz könnte ich wiederum Mensch und Dichter sein, ganz der Freundschaft und den Musen leben. Jetzt bin ich auf dem Wege dazu.

... Noch immer trage ich mich mit dem Lieblingsgedanken, zurückgezogen von der großen Welt, in philosophischer Stille mir selbst, meinen Freunden und einer glücklichen Weisheit zu leben, und wer weiß, ob das Schicksal, das mich bisher unbarmherzig genug herumwarf, mir nicht auf einmal eine solche Seligkeit gewähren wird. In dem lärmendsten Gewühl, mitten unter den Berauschungen des Lebens, die man sonst Glückseligkeit zu nennen pflegt, waren mir doch immer jene Augenblicke die süßesten, wo ich in mein stilles Selbst zurückkehrte und in dem heitern Gefilde meiner schwärmerischen Träume herumwandelte und hie und da eine Blume pflückte. – Meine Bedürfnisse in der großen Welt sind vielfach und unerschöpflich wie mein Ehrgeiz, aber wie sehr schrumpft dieser neben meiner Leidenschaft zur stillern Freude zusammen...

An Reinwald, Mannheim, 5. Mai 1784

... Wenn Sie mit einem Menschen vorlieb nehmen wollen, der große Dinge im Herzen herumgetragen und kleine getan hat, der bis jetzt nur aus seinen Torheiten schließen kann, daß die Natur ein eignes Projekt mit ihm vorhatte, der in seiner Liebe schrecklich viel fordert und bis hieher noch nicht einmal weiß, wieviel er leisten kann, der aber etwas anders mehr lieben *kann* als sich selbst und keinen nagenderen Kummer hat, als daß er das so wenig ist, was er so gern sein möchte, – wenn Ihnen ein Mensch wie dieser lieb und teuer werden kann, so ist unsere Freundschaft ewig; denn ich *bin* dieser Mensch. ...

... Ich kann nicht mehr hier bleiben. Zwölf Tage habe ichs in meinem Herzen herumgetragen wie den Entschluß, aus der Welt zu gehen. Menschen, Verhältnisse, Erdreich und Himmel sind mir zuwider. Ich habe keine Seele hier, keine einzige, die die Leere meines Herzens füllte, keine Freundin, keinen Freund; und was mir *vielleicht* noch teuer sein könnte, davon scheiden mich Konvenienz und Situationen. – Mit dem Theater hab ich meinen Kontrakt aufgehoben; also die ökonomische Rücksicht meines hiesigen Aufenthalts bindet mich nicht mehr. Außerdem verlangt es meine gegenwärtige Konnexion mit dem guten Herzog von Weimar, daß ich selbst dahin gehe und persönlich für mich negotiiere, so armselig ich mich auch sonst bei solcherlei Geschäften benehme. Aber vor allem anderen lassen Sie michs frei heraussagen, meine Teuersten, und lächeln Sie auch meinetwegen über meine Schwächen – ich *muß* Leipzig und Sie besuchen. O, meine Seele dürstet nach neuer Nahrung – nach bessern Menschen – nach Freundschaft, Anhänglichkeit und Liebe. Ich muß zu Ihnen, muß in Ihrem nähern Umgang, in der innigsten Verkettung mit Ihnen mein eignes Herz wieder genießen lernen und mein ganzes Dasein in einen lebendigern Schwung bringen. Meine poetische Ader stockt, wie mein Herz für meine bisherige Zirkel vertrocknete. *Sie* müssen sie wieder erwärmen. Bei Ihnen will ich, werd ich alles doppelt, dreifach wieder sein, was ich ehemals gewesen bin, und mehr als das alles, o, meine Besten, ich werde glücklich sein. Ich wars noch nie. Weinen Sie um mich, daß ich ein solches Geständnis tun muß. Ich war noch nicht glücklich; denn Ruhm und Bewunderung und die ganze übrige Begleitung der Schriftstellerei wägen auch nicht *einen* Moment auf, den Freundschaft und Liebe bereiten. Das Herz darbt dabei. ...

... Etwas Großes, etwas unaussprechlich Angenehmes muß mir da aufgehoben sein; denn der Gedanke an meine Abreise macht mir Mannheim zu einem Kerker, und der hiesige Horizont liegt schwer und drückend auf mir wie das Bewußtsein eines Mordes. Leipzig erscheint meinen Träumen und Ahndungen wie der rosigte Morgen jenseits der waldigten Hügel. In meinem Leben erinnere ich mich keiner so innigen prophetischen Gewißheit, wie diese ist, daß ich in Leipzig glücklich sein werde. Ich traue auf diese sonderbare Ahndung, sowenig ich sonst auf Visionen halte. Etwas Freudiges wartet auf mich. Doch warum Ahndung? Ich weiß ja, was auf mich wartet und wen ich da finde.

Ich sollte Ihnen so unendlich viel sagen, das ihnen einen Aufschluß über den Paroxysmus von Freude geben könnte, der mich bei dieser Aussicht befällt. Bis hieher haben Schicksale meine Entwürfe gehemmt. Mein Herz und meine Musen mußten zu gleicher Zeit der Notwendigkeit unterliegen. Es braucht nichts als eine solche Revolution meines Schicksals, daß ich ein ganz andrer Mensch, daß ich *anfange*, Dichter zu werden.

An die Leipziger Freunde, Mannheim,
10. und 22. Februar 1785

... Ich fühlte die kühne Anlage meiner Kräfte, das mißlungene (vielleicht große) Vorhaben der Natur mit mir. *Eine* Hälfte wurde durch die wahnsinnige Methode meiner Erziehung und die Mißlaune meines Schicksals, die *zweite* und *größere* aber durch mich selber zernichtet. Tief, bester Freund, habe ich das empfunden, und in der allgemeinen feurigen Gärung meiner Gefühle haben sich

Kopf und Herz zu einem herkulischen Gelübde vereinigt, – die Vergangenheit nachzuholen und den edlen Wettlauf zum höchsten Ziele von vorn anzufangen. Mein Gefühl war beredt und teilte sich den anderen elektrisch mit. O, wie schön und wie göttlich ist die Berührung zweier Seelen, die sich auf dem Wege zur Gottheit begegnen. ...

An Körner, Gohlis, 3. Juli 1785

... Ich muß ganz andre Anstalten treffen mit Lesen. Ich fühle es schmerzlich, daß ich noch so erstaunlich viel lernen muß, säen muß, um zu ernten. ...
... Täglich wird mir die *Geschichte* teurer. Ich habe diese Woche eine Geschichte des Dreißigjährigen Kriegs gelesen, und mein Kopf ist mir noch ganz warm davon. Daß doch die Epoche des höchsten Nationenelends auch zugleich die glänzendste Epoche menschlicher Kraft ist! Wie viele große Männer gingen aus dieser Nacht hervor! Ich wollte, daß ich zehen Jahre hintereinander nichts als Geschichte studiert hätte. Ich glaube, ich würde ein ganz anderer Kerl sein. Meinst Du, daß ich es noch werde nachholen können? ...

An Körner, Dresden, 15. April 1786

...Mein Herz ist zusammengezogen, und die Lichter meiner Phantasie sind ausgelöscht. Sonderbar, fast jedes Erwachen und jedes Niederlegen nähert mich einer Revolution, einem Entschlusse um einen Schritt mehr, den ich beinahe als ausgemacht vorhersehe. Ich bedarf einer Krisis. – Die Natur bereitet eine Zerstörung, um neu zu gebären. Kann wohl sein, daß Du mich nicht verstehst, aber ich verstehe mich schon. Ich könnte des Lebens müde sein, wenn es der Mühe verlohnte zu sterben...

An Huber, Dresden, 1. Mai 1786

...Wäre mein Metier durch Fleiß, durch Handarbeit, durch Hunger zu erzwingen, Sie würden bezahlt sein, aber meine Arbeiten wollen Abwartung, Heiterkeit des Geists, und kann man dieser befehlen?...

An Frau von Wolzogen, Weimar, 1. August 1787

...Ich habe viel Arbeit vor mir, um zu meinem Ziele zu gelangen, aber ich scheue sie nicht mehr. Mich dahin zu führen, soll kein Weg zu außerordentlich, zu seltsam für mich sein. Überlege einmal, mein Lieber, ob es nicht unbegreiflich lächerlich wäre, aus einer feigen Furcht vor dem Ungewöhnlichen und einer verzagten Unentschlossenheit sich um den höchsten Genuß eines denkenden Geists: Größe, Hervorragung, Einfluß auf die Welt und Unsterblichkeit des Namens, zu bringen. In welcher armseligen Proportion stehen die Befriedigungen irgendeiner kleinen Begierde oder Leidenschaft gegen dieses richtig eingesehene und erreichbare Ziel? Das gestehe ich Dir, daß ich in dieser Idee so befestigt, so vollständig durch meinen Verstand davon überzeugt bin, daß ich mit Gelassenheit mein Leben an ihre Ausführung zu setzen bereit wäre und alles, was mir nur so lieb oder weniger teuer als mein Leben ist. Dies ist nicht erst seit heute und gestern in mir entstanden. Jahre schon hab ich mich mit diesem Gedanken getragen, nur die richtigere Schätzung meiner selbst, wozu ich jetzt erst gelangt bin, hatte noch gefehlt, ihm Sanktion zu geben. ...

...Glaube mir, es steht unendlich viel in unserer Gewalt, wir haben unser Vermögen nicht gekannt, – dieses Vermögen ist die *Zeit*. Eine gewissenhafte, sorgfältige Anwendung dieser kann erstaunlich viel aus uns machen. Und wie schön, wie beruhigend ist der Gedanke, durch den bloßen richtigen Gebrauch der Zeit, die unser Eigentum ist, sich selbst, und ohne fremde Hilfe, ohne Abhängigkeit von Außendingen, sich selbst alle Güter des Lebens erwerben zu können. Mit welchem Rechte können wir das Schicksal oder den Himmel darüber belangen, daß er uns weniger als andre begünstigte! Er gab uns Zeit, und wir haben alles, sobald wir Verstand und ernstlichen Willen haben, mit diesem Kapitale zu wuchern...

An Huber, Weimar, 28. August 1787

... Aber ich muß eine Frau dabei ernähren können, denn noch einmal, mein Lieber, dabei bleibt es, daß ich heirate. Könntest Du in meiner Seele so lesen wie ich selbst, Du würdest keine Minute darüber unentschieden sein. Alle meine Triebe zu Leben und Tätigkeit sind in mir abgenützt; diesen einzigen habe ich noch nicht versucht. Ich führe eine elende Existenz, elend durch den inneren Zustand meines Wesens. Ich muß ein Geschöpf um mich haben, das *mir* gehört, das ich glücklich machen *kann* und *muß*, an dessen Dasein mein eigenes sich erfrischen kann...
... Ich sehne mich nach einer bürgerlichen und häuslichen Existenz, und das ist das einzige, was ich jetzt noch hoffe...

An Körner, Weimar, 7. Januar 1784

... Goethe ist jetzt bei Ihnen. Ich bin ungeduldig, ihn zu sehen. Wenige Sterbliche haben mich so interessiert. Wenn Sie mir wieder schreiben, liebster Freund, so bitte ich Sie, mir von Goethe viel zu schreiben. Sprechen Sie ihn, so sagen Sie ihm alles Schöne von meinetwegen, was sich sagen läßt. ...

An Ridel, Volkstedt, 7. Juli 1784

... Im ganzen genommen ist meine in der Tat große Idee von ihm nach dieser persönlichen Bekanntschaft nicht vermindert worden; aber ich zweifle, ob wir einander je sehr nahe rücken werden. Vieles, was mir jetzt noch interessant ist, was ich noch zu wünschen und zu hoffen habe, hat seine Epoche bei ihm durchlebt; er ist mir (an Jahren weniger als an Lebenserfahrungen und Selbstentwickelung) so weit voraus, daß wir unterwegs nie mehr zusammenkommen werden; und sein ganzes Wesen ist schon von Anfang her anders angelegt als das meinige, seine Welt ist nicht die meinige, unsere Vorstellungsarten scheinen wesentlich verschieden. Indessen schließt sichs aus einer solchen Zusammenkunft nicht sicher und gründlich. Die Zeit wird das Weitere lehren ...

An Körner, Rudolstadt, 12. September 1788

... Dieser Mensch, dieser Goethe, ist mir einmal im Wege, und er erinnert mich so oft, daß das Schicksal mich hart behandelt hat. Wie leicht ward *sein* Genie von seinem Schicksal getragen, und wie muß ich bis auf diese Minute noch kämpfen! Einholen läßt sich alles Verlorene für mich nun nicht mehr – nach dem Dreißigsten bildet man sich nicht mehr um –, und ich könnte ja selbst diese Umbildung vor den nächsten drei oder vier Jahren nicht mit mir anfangen, weil ich vier Jahre wenigstens meinem Schicksale noch opfern muß. Aber ich habe noch guten Mut und glaube an eine glückliche Revolution für die Zukunft. Könntest Du mir innerhalb eines Jahrs eine Frau von zwölftausend Talern verschaffen, mit der ich leben, an die ich mich attachieren könnte, so wollte ich Dir in fünf Jahren – eine Fridericiade, eine klassische Tragödie und, weil Du doch so darauf versessen bist, ein halb Dutzend schöner Oden liefern – und die Akademie in Jena möchte mich dann im Asch lecken ...

An Körner, Weimar, 9. März 1789

... Es ist ein armseliges, kleinliches Ideal, für *eine* Nation zu schreiben; einem philosophischen Geiste ist diese Grenze durchaus unerträglich. Dieser kann bei einer so wandelbaren, zufälligen und willkürlichen Form der Menschheit bei einem Fragmente (und was ist die wichtigste Nation anders?) nicht stille stehen. Er kann sich nicht weiter dafür erwärmen, als soweit ihm diese Nation oder Nationalbegebenheit als Bedingung für den Fortschritt der Gattung wichtig ist. ...

An Körner, Rudolstadt, 13. Oktober 1789

... Meinem künftigen Schicksal sehe ich mit heiterm Mut entgegen; jetzt, da ich am erreichten Ziele stehe, erstaune ich selbst, wie alles doch über meine Erwartungen gegangen ist. Das Schicksal hat die Schwierigkeiten für mich besiegt, es hat mich zum Ziele gleichsam getragen. Von der Zukunft hoffe ich alles. Wenige Jahre, und ich werde im vollen Genuß meines Geistes leben, ja ich hoffe, ich werde wieder zu meiner Jugend zurückkehren, ein inneres Dichterleben gibt mir sie zurück. Zum Poeten machte mich das Schicksal; ich könnte mich, auch wenn ich noch so sehr wollte, von dieser Bestimmung nie weit verlieren...

An Körner, Jena, 1. Februar 1790

... Mein Gemüt ist übrigens heiter, und es soll mir nicht an Mut fehlen, wenn auch das Schlimmste über mich kommen wird...

An Körner, 3. März 1791

... nur für freie und heitre Geister, die über den Staub der Schulen erhaben sind und den Funken reiner und edler Menschheit in sich bewahren, kann ich meine Ideen und Gefühle entfalten. ...

An Friedrich Christian von Schleswig-Holstein-Sonderburg-Augustenburg, Jena, 9. Februar 1793

... Ihr Geist wirkt in einem außerordentlichen Grade intuitiv, und alle Ihre denkenden Kräfte scheinen auf die Imagination als ihre gemeinschaftliche Repräsentantin gleichsam kompromittiert zu haben. Im Grund ist dies das Höchste, was der Mensch aus sich machen kann, sobald es ihm gelingt, seine Anschauung zu generalisieren und seine Empfindung gesetzgebend zu machen. Darnach streben Sie, und in wie hohem Grade haben Sie es schon erreicht! *Mein* Verstand wirkt eigentlich mehr symbolisierend, und so schwebe ich als eine Zwitterart zwischen dem Begriff und der Anschauung, zwischen der Regel und der Empfindung, zwischen dem technischen Kopf und dem Genie. Dies ist es, was mir, besonders in frühern Jahren, sowohl auf dem Felde der Spekulation als der Dichtkunst ein ziemlich linkisches Ansehen gegeben; denn gewöhnlich übereilte mich der Poet, wo ich philosophieren sollte, und der philosophische Geist, wo ich dichten wollte. Noch jetzt begegnet es mir häufig genug, daß die Einbildungskraft meine Abstraktionen und der kalte Verstand meine Dichtung stört. Kann ich dieser beiden Kräfte insoweit Meister werden, daß ich einer jeden durch meine Freiheit ihre Grenzen bestimmen kann, so erwartet mich noch ein schönes Los; leider aber, nachdem ich meine moralischen Kräfte recht zu kennen und zu gebrauchen angefangen, droht eine Krankheit meine physischen zu untergraben. Eine große und allgemeine Geistesrevolution werde ich schwerlich Zeit haben in mir zu vollenden, aber ich werde tun, was ich kann; und wenn endlich das Gebäude zusammenfällt, so habe ich doch vielleicht das Erhaltenswerte aus dem Brande geflüchtet. ...

An Goethe, Jena, 31. August 1794

... Mit Freuden nehme ich Ihre gütige Einladung nach Weimar an, doch mit der ernstlichen Bitte, daß Sie in keinem einzigen Stück Ihrer häuslichen Ordnung auf mich rechnen mögen; denn leider nötigen mich meine Krämpfe gewöhnlich, den ganzen Morgen dem Schlaf zu widmen, weil sie mir des Nachts keine Ruhe lassen, und überhaupt wird es mir nie so gut, auch den Tag über auf eine bestimmte Stunde sicher zählen zu dürfen. Sie werden mir also erlauben, mich in Ihrem Hause als einen völlig Fremden zu betrachten, auf den nicht geachtet wird, und dadurch, daß ich mich ganz isoliere, der Verlegenheit zu entgehen, jemand anderes von meinem Befinden abhängen zu lassen. Die Ordnung, die jedem andern Menschen wohl macht, ist mein gefährlichster Feind; denn ich darf nur in einer bestimmten Zeit etwas Bestimmtes vornehmen *müssen*, so bin ich sicher, daß es mir nicht möglich sein wird. ...

An Goethe, Jena, 7. September 1794

... Wir wollen *dem Leibe nach* Bürger unserer Zeit sein und bleiben, weil es nicht anders sein kann; sonst aber und *dem Geiste nach* ist es das Vorrecht und die Pflicht des Philosophen wie des Dichters, zu keinem Volk und zu keiner Zeit zu gehören, sondern im eigentlichen Sinne des Wortes der Zeitgenosse aller Zeiten zu sein. ...

An Jacobi, Jena, 25. Januar 1795

... Glühend für die Idee der Menschheit, gütig und menschlich gegen den einzelnen Menschen und gleichgültig gegen das ganze Geschlecht, wie es wirklich vorhanden ist, – das ist mein Wahlspruch...

An Erhard, Jena, 5. Mai 1795

... So viel ist auch mir bei meinen wenigen Erfahrungen klar geworden, daß man den Leuten im ganzen genommen durch die Poesie nicht wohl, hingegen recht übel machen kann, und mir deucht, wo das eine nicht zu erreichen ist, da muß man das andere einschlagen. Man muß sie inkommodieren, ihnen ihre Behaglichkeit verderben, sie in Unruhe und in Erstaunen setzen. Eins von beiden, entweder als ein Genius oder als ein Gespenst, muß die Poesie ihnen gegenüberstehen: Dadurch allein lernen sie an die Existenz einer Poesie glauben und bekommen Respekt vor den Poeten...

An Goethe, Jena, 17. August 1797

... Zweierlei gehört zum Poeten und Künstler: daß er sich über das Wirkliche erhebt und daß er innerhalb des Sinnlichen stehen bleibt. Wo beides verbunden ist, da ist ästhetische Kunst. ...

An Goethe, Jena, 14. September 1797

... ich muß gestehen, daß Ihr, Humboldts, Goethe und meine Frau die einzigen Menschen sind, an die ich mich gern erinnere, wenn ich dichte, und die mich dafür belohnen können, denn das Publikum, so wie es ist, nimmt einem alle Freude. ...

An Körner, Jena, 15. August 1798

... Was ich Gutes haben mag, ist durch einige wenige vortreffliche Menschen in mich gepflanzt worden, ein günstiges Schicksal führte mir dieselben in den entscheidenden Perioden meines Lebens entgegen, meine Bekanntschaften sind auch die Geschichte meines Lebens. Dieses und einige Äußerungen in Ihrem Briefe führen mich natürlich auf meine Bekanntschaft mit Goethe, die ich auch jetzt, nach einem Zeitraum von sechs Jahren, für das wohltätigste Ereignis meines ganzen Lebens halte. Ich brauche Ihnen über den *Geist* dieses Mannes nichts zu sagen. Sie erkennen seine Verdienste als Dichter, wenn auch nicht in *dem* Grade an, als ich sie fühle. Nach meiner innigsten Überzeugung kommt kein anderer Dichter ihm an Tiefe der Empfindung und an Zartheit derselben, an Natur und Wahrheit und zugleich an hohem Kunstverdienste auch nur von weitem bei. Die Natur hat ihn reicher ausgestattet als irgendeinen, der nach Shakespeare aufgestanden ist. Und außer diesem, was er von der Natur *erhalten*, hat er sich durch rastloses Nachforschen und Studium mehr *gegeben* als irgendein anderer. Er hat es sich zwanzig Jahre mit der redlichsten Anstrengung sauer werden lassen, die Natur in allen ihren drei Reichen zu studieren, und ist in die Tiefen dieser Wissenschaften gedrungen. Über die Physik des Menschen hat er die wichtigsten Resultate gesammelt und ist auf seinem ruhigen, einsamen Wege den Entdekkungen vorausgeeilt, womit jetzt in diesen Wissenschaften soviel Parade gemacht wird. In der Optik werden seine Entdeckungen erst in künftiger Zeit ganz gewürdigt werden, denn das Falsche der Newtonischen Farbenlehre hat er bis zur Evidenz demonstriert, und wenn er alt genug wird, um sein Werk darüber zu vollenden, so wird diese Streitfrage unwiderleglich entschieden sein. Auch über den Magnet und die Elektrizität hat er sehr neue und schöne Ansichten. So ist er auch in

Rücksicht auf den Geschmack in bildenden Künsten dem Zeitgeiste sehr weit voraus, und bildende Künstler könnten vieles bei ihm lernen. Welcher von allen Dichtern kommt ihm in solchen gründlichen Kenntnissen auch nur von ferne bei, und doch hat er einen großen Teil seines Lebens in Ministerialgeschäften aufgewendet, die darum, weil das Herzogtum klein ist, nicht klein und unbedeutend sind. Aber diese hohen Vorzüge seines Geistes sind es nicht, die mich an ihn binden. Wenn er nicht als Mensch für mich den größten Wert von allen hätte, die ich persönlich je habe kennen lernen, so würde ich sein Genie nur in der Ferne bewundern. Ich darf wohl sagen, daß ich in den sechs Jahren, die ich mit ihm zusammen lebte, auch nicht einen Augenblick an seinem Charakter irre geworden bin. Er hat eine hohe Wahrheit und Biederkeit in seiner Natur und den höchsten Ernst für das Rechte und Gute; ...

An die Gräfin Schimmelmann, Weimar, 23. November 1800

... Die Hauptsache ist der Fleiß; denn dieser gibt nicht nur die Mittel des Lebens, sondern er gibt ihm auch seinen alleinigen Wert. Ich habe seit sechs Wochen mit Eifer und mit Sukzeß, wie ich denke, gearbeitet. Von der ›Braut von Messina‹ sind 1500 Verse bereits fertig. Die ganz neue Form hat auch mich verjüngt, oder vielmehr das Antikere hat mich selbst altertümlicher gemacht; denn die wahre Jugend ist doch in der alten Zeit. Sollte es mir gelingen, einen historischen Stoff wie etwa den ›Tell‹ in diesem Geist aufzufassen, wie mein jetziges Stück geschrieben ist und auch viel leichter geschrieben werden konnte, so würde ich alles geleistet zu haben glauben, was billigerweise jetzt gefordert werden kann. ...

An Körner, Weimar, 15. November 1802

... und am Ende sind wir ja beide Idealisten und würden uns schämen, uns nachsagen zu lassen, daß die Dinge uns formten und nicht wir die Dinge. ...

An Wilhelm von Humboldt, Weimar, 2. April 1805

... Die bessere Jahreszeit läßt sich endlich auch bei uns fühlen und bringt wieder Mut und Stimmung; aber ich werde Mühe haben, die harten Stöße, seit neun Monaten, zu verwinden, und ich fürchte, daß doch etwas davon zurückbleibt; die Natur hilft sich zwischen vierzig und fünfzig nicht mehr als im dreißigsten Jahr. Indessen will ich mich ganz zufrieden geben, wenn mir nur Leben und leidliche Gesundheit bis zum fünfzigsten Jahr aushält. ...

An Körner, Weimar, 25. April 1805

BILDDOKUMENTE

1 Friedrich Schiller. Ölporträt von Philipp Friedrich Hetsch, 1782. Der Regimentsarzt und Dichter der ›Räuber‹, den die Uraufführung in weiten Kreisen bekanntgemacht hatte. Hetsch besuchte von 1773–1780 die Hohe Carlsschule und gehörte zum Kreis der Jugendfreunde Schillers. Er verbrachte Studienjahre in Paris und Rom, war von 1787–1794 als Lehrer an der Carlsschule tätig und von 1798–1816 Galeriedirektor in Stuttgart.

2 Johann Caspar Schiller als Leutnant. Zeitgenössisches Ölbild. Der Vater des Dichters wurde am 27. X. 1723 in dem Dorf Bittenfeld bei Waiblingen (Württemberg) als Sohn des Bäckers und Schultheißen Johannes Schiller (1682–1733) und der Eva Margarethe geb. Schatz aus Alfdorf (1690–1788) geboren. Nach Beendigung des Österreichischen Erbfolgekriegs, an dem er als Eskadronfeldscher teilgenommen hatte, kam er am 14. III. 1749 nach Marbach, um seine dort mit einem Fischermeister verheiratete Schwester zu besuchen. Er stieg in der »Herberge zum Goldenen Löwen« ab.

3 Elisabeth Dorothea Schiller geb. Kodweiß in mittleren Jahren. Zeitgenössisches Ölbild. Die Mutter des Dichters wurde am 13. XII. 1732 in Marbach geboren als Tochter des Löwenwirts und Bäckers Georg Friedrich Kodweiß (1698–1771) und der Maria geb. Munz (1698–1773) vom Röhracher Hof (Bauernhof bei Bad Rietenau). Die Kodweiß' waren eine alte, angesehene Marbacher Familie. Vater wie Großvater des Löwenwirts waren Bäcker und zeitweise Bürgermeister der Stadt. Der Vater betrieb neben dem Bäckerhandwerk die übliche, kleine Weinwirtschaft und versah außerdem das Amt eines Holzinspektors beim herzoglichen Floßwesen.

4 Marbach am Neckar. Kolorierte Federzeichnung von August Seyffer, 1813. Marbach, eine der ältesten Landstädte der einstigen Grafschaft Württemberg, wurde gegenüber dem 972 erstmals urkundlich erwähnten Dorf und Fronhof ‹Marcbach› auf der Höhe über dem Neckar erbaut und erhielt um 1250 Stadtrechte. Bis 1938 war Marbach Oberamtsstadt; seitdem gehört es zum Landkreis Ludwigsburg.

5 Schillers Geburtshaus in Marbach. Kreidezeichnung von Schillers Enkel Ludwig von Gleichen-Rußwurm, 1859. In diesem Haus in der Niklastorgasse, das dem Seckler Schöllkopf gehörte, wurde Friedrich Schiller am 10. XI. 1759 geboren und einen Tag später in der nahen Stadtkirche getauft.

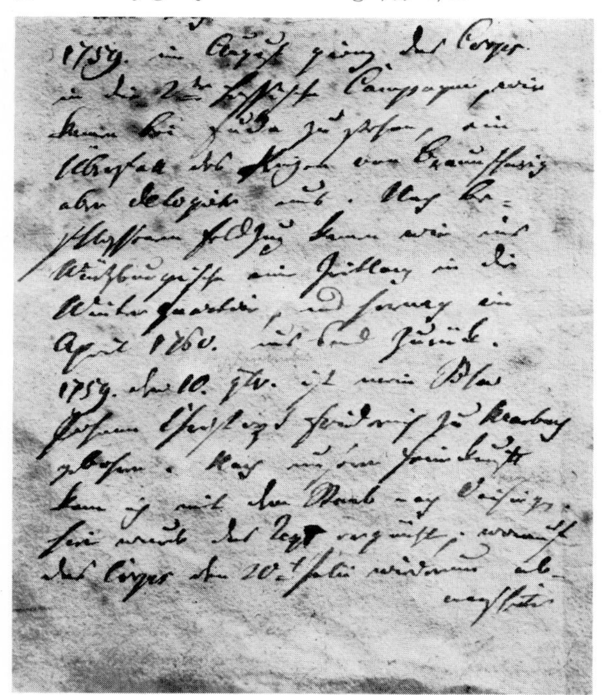

6 Johann Caspar Schiller: ›Curriculum vitae meum‹, August 1759 bis Juli 1760. In seiner Lebensgeschichte erwähnt Schillers Vater die Geburt seines Sohnes nur kurz zwischen Feldzugsberichten aus dem Siebenjährigen Krieg: »1759. Den 10. 9bre [= November] ist mein Sohn Johann Christoph Friederich zu Marbach gebohren.« – Nach amtlicher Prüfung als Wundarzt hatte er am 22. VII. 1749 die erst 16jährige Tochter des Löwenwirts geheiratet. Eine Woche später erhielt er das Marbacher Bürgerrecht. Doch finanzielle Schwierigkeiten seines Schwiegervaters, die auch auf seine Arztpraxis rückwirkten, veranlaßten Schillers Vater, sich wieder dem Militärberuf zuzuwenden.

7 Pfarrer Philipp Ulrich Moser (1720–1792). Zeitgenössisches Ölbild. Während der Lorcher Jahre stand die Familie Schiller unter dem Einfluß des Pfarrers Moser. Er hat dem jungen Schiller, der die dörfliche Volksschule besuchte, gemeinsam mit seinem Sohn die ersten Anfangsgründe der lateinischen und bereits eine Ahnung der griechischen Sprache beigebracht. Durch ihn wurde Schiller die pietistische Glaubenswelt vertraut, denn Moser war Schüler Johann Albrecht Bengels. In seinen ›Räubern‹ hat Schiller Jahre später dem Lorcher Pfarrer ein Denkmal gesetzt.

8 Lorch im Remstal, Gesamtansicht. Lithographie aus der Oberamtsbeschreibung von Welzheim, um 1840. Nach Beendigung des Krieges wurde der Hauptmann Schiller als Werbeoffizier am 24. XII. 1763 nach Schwäbisch Gmünd versetzt. Da die Lebensverhältnisse der Reichsstadt zu kostspielig waren, bezog er mit seiner Familie Wohnung im benachbarten Lorch.

9 Das Schillerhaus in Lorch. Aquarell von Wilhelm Pilgram, um 1860. Von 1764 bis 1766 wohnte die Familie Schiller in Lorch, zunächst im Gasthaus ›Sonne‹, dann im Hause des Schmieds Molt (gegenüber dem Gasthof ›Lamm‹).

10 Ludwigsburg, Residenzschloß mit Fasanengarten. Kupferstich von Donato Guiseppe Frisoni, 1727. (Im Hintergrund die Stadt). Das Schloß Ludwigsburg gehört zu den bedeutendsten Barockschlössern Deutschlands. Es wurde unter Herzog Eberhard Ludwig von Württemberg in den Jahren 1704–1733 durch Ph. Jos. Jenisch, Johann Friedrich Nette und D.G. Frisoni erbaut. Am 23. XII. 1766 wurde Hauptmann Schiller auf eigenen Wunsch zu seinem Regiment in die Garnison Ludwigsburg zurückversetzt. Während seiner Ludwigsburger Jahre erlebte der junge Schiller die glanzvolle Hofhaltung Herzog Carl Eugens in diesem Schloß zugleich seine ersten Theateraufführungen im Hoftheater.

11 Erste Ludwigsburger Wohnung der Familie Schiller. Zeichnung von Lucie Störzer, 1915: Hintere Schloßstraße 26 (heute Mömpelgardstraße) im Hause des Leibchirurgen Reichenbach, dem Vater der Malerin Ludovike Simanowiz. Ein Jahr später erfolgte der Umzug in das Haus des Hofbuchdruckers Christian Fr. Cotta, Onkel des berühmten Verlegers, in der Stuttgarter Straße 26, das gemeinsam mit der Familie von Hoven bewohnt wurde. Friedrich Wilhelm von Hoven war Schillers Mitschüler in der Lateinschule.

12 Friedrich Schiller: Gratulationsgedicht in deutscher und lateinischer Sprache für die Eltern zum 1. 1. 1769. Wiedergabe des deutschen Textes. Das älteste erhaltene Gedicht Schillers. Während der Ludwigsburger Lateinschuljahre ab 1767 wurde er vor allem von dem Oberpräzeptor Johann Friedrich Jahn, einem bedeutenden Lehrer, sehr gefördert und verfaßte mit erstaunlicher Leichtigkeit lateinische Distichen. Schiller, der nach eigenem Wunsch und nach dem Willen der Eltern die theologische Laufbahn erstrebte, legte mehrfach das gefürchtete Landexamen ab, Prüfungen, die den Zugang zur kostenlosen Ausbildung an den Klosterschulen des Landes eröffneten. – Am 26. IV. 1772 wurde Schiller in der damaligen Garnisonkirche (auf dem Marktplatz) konfirmiert.

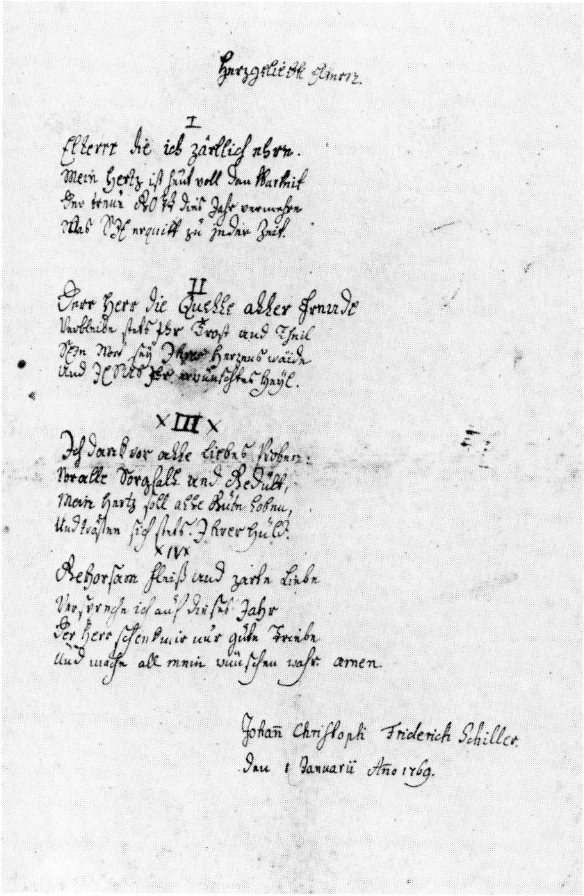

Herzgeliebte Eltern.

I

Eltern die ich zärtlich ehren.
Mein Hertz ist heut voll Dankbarkeit
Der treue GOtt der diese Jahr vermehren
Und Sie erquickt zu jeder Zeit.

II

Der Herr die Quelle aller Freude
Verbleibe stets Ihr Trost und Theil
Sein Wort sey Ihres Herzens Weide
Und JEsus Ihr erwünschtes Heyl.

×III×

Ich dank vor alle liebes Proben:
Vor alle Vorsorg und Gedult,
Mein Hertz soll alle Zeit loben,
Und trachten sich stets Ihrer Huld.

×IV×

Gehorsam Fleiß und zarte Liebe
Verspreche ich auf dieses Jahr
Der Herr schenk mir nur gute Triebe
Und mach all mein Wünschen wahr. amen.

Johañ Christoph Friderich Schiller.
den 1 Januarii Año 1769.

13 Carl Eugen Herzog v. Württemberg (1728–1793). Pastell der Zeit. Carl Eugen regierte von 1744–1793. Er war ein brutaler Despot, maßlos und gewaltsam, zugleich aber ein hochbegabter, vielseitig interessierter und rastlos tätiger Fürst. Am 11. VII. 1767 erlebte Schiller, wohl als Schüler Spalier stehend, den prunkvollen Einzug des Herzogs in Ludwigsburg nach seiner Rückkehr aus Venedig.

14 Schloß Solitude bei Stuttgart. Gemälde von Adolf Friedrich Harper, um 1765. Hinter dem auf waldiger Höhe nahe bei Stuttgart von Carl Eugen erbauten Lustschloß wurde 1770 ein Militärwaisenhaus errichtet, aus dem 1773 eine Militärpflanzschule und dann die Hohe Carlsschule hervorging. Auf Befehl des Herzogs wurden begabte Schüler des Landes, vor allem Söhne von Offizieren, in diese Schule gerufen und erhielten hier eine kostenfreie Ausbildung. Gegen seinen wie der Eltern Willen mußte der junge Schiller am 16. 1. 1773 in die Carlsschule eintreten.

Nachdeme es Seiner regierenden Herzoglichen Durchlaucht zu Würtemberg gnädigst gefällig gewesen, unsern Sohn

Johann Christoph Friedrich Schiller

in die Herzogliche Militair-Akademie zu unserer unterthänigsten Danksagung in Gnaden aufzunehmen, nach den Grund-Gesezen dieses Herzoglichen Instituts aber erforderlich wird, daß ein dahin eintrettender Elev sich gänzlich den Diensten des Herzoglichen Würtembergischen Hauses widme, und ohne darüber zu erhaltende gnädigste Erlaubnuß aus denselben zu tretten nicht befugt seyn, auch hierüber von beederseitigen Aeltern ein Revers ausgestellt werde; so haben Wir Uns dessen um so weniger entbrechen wollen, vielmehr versprechen wir, daß obbenannter unser Sohn dieser Einrichtung so wohl, als allen übrigen Gesezen und Anordnungen des Instituts auf das genaueste nachzuleben geflissen seyn wird. Urkundlich unter unsern eigenhändigen Unterschriften und vorgedrukten angebohrnen Pettschaften. Gegeben Ludwigsburg den 23ten Septembris 1774.

Vater Johann Caspar Schiller
Hauptmann bei dem Herzogl.
General Lieut. von Stain'schen
Infanterie Regiment.

Mutter
Elisabetha Dorothea
gebohrne Kodweißin.

15 Urkundliche Erklärung der Eltern Schillers, ihren Sohn den »Diensten des Herzoglichen Würtembergischen Hauses« zu übergeben. Ludwigsburg, 23. IX. 1774. Damit begaben sich die Eltern weitgehend ihrer eigenen Pflichten und Rechte an ihren Söhnen, denn die Aufnahme in die Militärakademie be-

18)o(

XX. Art.

Von der Arbeit.

sollen diejenige, welche confirmirt, und zu gewissen Künsten oder Profeßionen schon bestimmt und ausgesucht sind, auf die Arbeit gehen, und sich bey dem ihnen vorgesetzten Aufseher und Meister in der Arbeit melden, das angewiesene Geschäffte fleißig und unverdrossen verrichten, und die schöne Gelegenheit, etwas zu erlernen, nicht muthwilliger Weise versäumen, sondern vielmehr sich aufs äusserste bemühen, alles, was ihnen vorgewiesen wird, schnell und recht zu begreifen, damit sie in kurzem die höchste Intention **Sr. Herzoglichen Durchlaucht** erreichen, **Höchst-Erlaucht-Deroselben** Gnade sich erwerben, und dardurch ihr künftiges Glück bestimmen. Von diesen hat ein jeder, so zur Arbeit im Garten angewiesen ist, sich sehr zu hüten, daß er in solchem keinen Abtritt nehme, auf keinem Canape oder Wasen weder sitze noch liege, durch keine Hekken schlupfe, noch an denselben etwas verderbe, hauptsächlich aber bey der allerschwersten Strafe keine Blumen oder Früchten abnehme. XXI. Art.

)o(19

XXI. Art.

Von denen Lehr-Stunden.

Um 5 Uhr werden die Knaben geweckt, worauf sie sich dann von 5 bis 6 Uhr anzuziehen und so wohl der Reinlichkeit des Leibs als auch der Kleider zu befleißigen haben.

Von 6 bis 7 Uhr verrichten sie das Morgen-Gebet und nehmen das Fruhstuck ein.

Von 7 bis 9 Uhr gehen diejenige, welche die lateinische Sprache zu erlernen ausgesucht sind, von allen 4 Classen nach ihrer Fähigkeit, theils zum Professor, theils zu dem ihme zugegebenen Lehrmeister. Nach vollendeter Lection kommen von diesen

Von 9 bis 10 Uhr die Teutsche in die französische und die Französische in die teutsche Schule.

Von 10 bis halb 12 Uhr erlernen sie das Zeichnen, Rechnen, Geometrie und Music Abwechslungs-Weise. So fort wird die

B 2 Erste

deutete die völlige Trennung von der Familie und die Verpflichtung, später in württembergische Dienste zu treten. Der Herzog als Leiter des Erziehungsinstituts bezeichnete sich selbst als ›Vater‹, seine Zöglinge als ›Söhne‹. Der berüchtigte ›Carlsschulrevers‹ entsprach einer allgemeinen Gepflogenheit und wurde, entsprechend abgewandelt, auch von den Tübinger Studenten verlangt.

16 ›Reglement vor die von Sr. Herzoglichen Durchlaucht gnädigst aufgestellte Militärische Pflanz-Schule.‹ Stuttgart: Cotta 1770. Zwei Seiten aus dem Druck mit dem Arbeits- und Tagesplan. Der Tagesablauf der Eleven war genau geregelt und entsprach einem streng disziplinierten und überwachten Kasernenleben. Es gab keine Ferien, Besuche wurden gar nicht, Urlaub nur in ganz dringenden Fällen gestattet.

Zwölfte Abtheilung

Stunden	7–8	8–9	9–10	10–11.	2–3	3–4	4–5	5–6.
Montag	Praepa 5	mathem Hahn	Franz Bach	Tanzen Bebeon	Roth	zeich: 5	Kriegsoffic Nast	Englisch
Dienstag	Praepa 5	Philosop Abel.	Geschicht Schott	NaturR Lamotte	Geogra: Kielman	Reuten	Praepa: 2	mathem
Mittwoch	Praepa 6	Philos:	Mathe:	Repetio 5	Franz	Religio	Englisch	Repetio
Donerstag	Praepa 7	Philoso	Geschi:	Kirch	Schreib	Math:	Praepa:	Kriegs Atr:
Freytag.	Praepa 7	Philoso	Mathe	Fechten	Geschi:	Praepa 7	ation 7	Mathe:
Samstag	Roth 1.	zeich: 1.	Schreib	Natur Recht	Geogr:	Franz 2	Geomet	r: Zeich 2.

17 Stundenplan der zwölften Abteilung der Hohen Carlsschule. Schiller gehörte zu dieser Abteilung. Im ersten Jahr erhielten die Eleven noch kein festes Fachstudium, doch wurde schon Anfang des Jahres 1774 eine juristische Fakultät angegliedert. Schiller entschloß sich zum Jurastudium.

18 Friedrich Schiller. Getuschter Schattenriß in Kupferstichumrahmung, um 1773. Das früheste Bildnis des Dichters aus dem Album des Intendanten Christoph von Seeger. Vom Januar 1773 – Dezember 1780 war Schiller Zögling der Hohen Carlsschule. An die Stelle der Familie war das Leben im Internat getreten, das militärische Ordnung bestimmte.

19 Christoph Dionysius von Seeger (1740–1808). Kupferstich von Johann Christoph Schlotterbeck. Von den ersten Anfängen der Hohen Carlsschule im Jahre 1770 bis zu ihrer Aufhebung 1794 war Seeger als Intendant, nach der Erhebung zur Hochschule als herzoglicher Kommissar die rechte Hand des Herzogs bei ihrer Leitung und sein unbedingt zuverlässiger täglicher Berater in allen die Anstalt betreffenden Angelegenheiten.

20 Johann Christian Weckherlin (1759–1781). Getuschter Schattenriß der Zeit. (Aus dem Album des Intendanten von Seeger). Der Carlsschulfreund Schillers starb bereits am 16. 1. 1781. Sein Tod veranlaßte Schiller zu dem Gedicht ›Elegie auf den frühzeitigen Tod Christian Weckherlins, von seinem Freund. Stuttgart, den 16ten Januar 1781‹.

21 Philipp Friedrich Hetsch (1758–1839). Getuschter Schattenriß der Zeit. Der Mitschüler und Freund Schillers wurde später ein bedeutender Porträtist und gehört als Schüler von Guibal und Harper zu den führenden Vertretern des schwäbischen Klassizismus.

22 Schiller: Stammbuchblatt für Johann Christian Weckherlin, 6. x. 1778. »Auf ewig bleibt mit dir vereint/der Artzt, der Dichter, und dein Freund/Schiller«

Shakespear
Theatralische Werke.
Aus dem Englischen übersezt
von
Herrn Wieland.
IIter Band.

Mit Königl. Poln. u. Chur-Fürstl. Sächs. allergn. Privileg.

S.G.f.

Zürich, bey Orell, Geßner, und Comp. 1763.

23 Shakespeare: ›Theatralische Werke aus dem Englischen übersetzt von Herrn Wieland‹. Titelseite des 2. Bandes. Zürich: Orell, Geßner & Co. 1763. Handexemplar von Professor Abel, das er dem jungen Schiller auslieh. Er berichtet auch über die erste Begegnung des Dichters mit Shakespeare und den »ununterbrochenen Eifer«, mit dem er sich der Lektüre widmete.

24 Jakob Friedrich Abel (1751–1829). Ölgemälde, Jakob Friedrich Weckherlin zugeschrieben, um 1790. Der Tübinger Stiftler war 1772–1790 Professor an der Carlsschule für Philosophie, Psychologie und Moral, wurde 1790 Professor in Tübingen, 1811 Generalsuperintendent und Ephorus in Schöntal. Der von den Eleven besonders verehrte ›engelsgleiche Mann‹ bestimmte die zentrale Stellung der Philosophie in der Carlsschule. Er gewann großen Einfluß auf Schiller und seine dichterische Entwicklung. Es entstand ein enges freundschaftliches Verhältnis zu Schiller, der mit ihm zusammen 1782 das ›Wirtembergische Repertorium der Litteratur. Eine Vierteljahr-Schrift‹ herausgab. In späteren Jahren versuchte Abel, Schiller als Professor für die Tübinger Universität zu gewinnen.

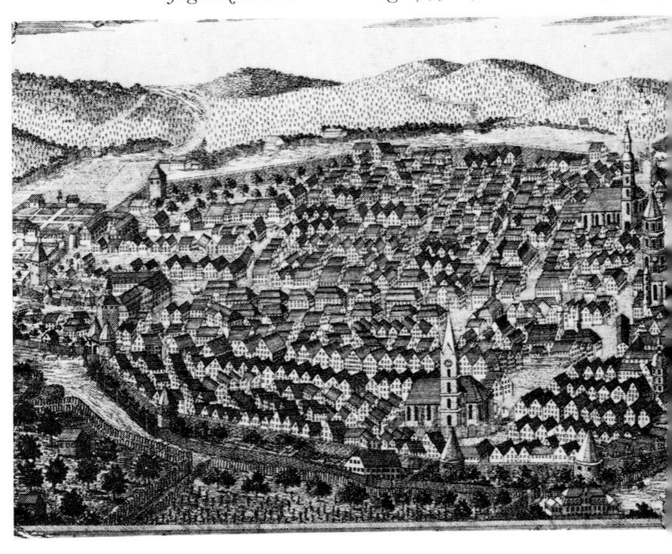

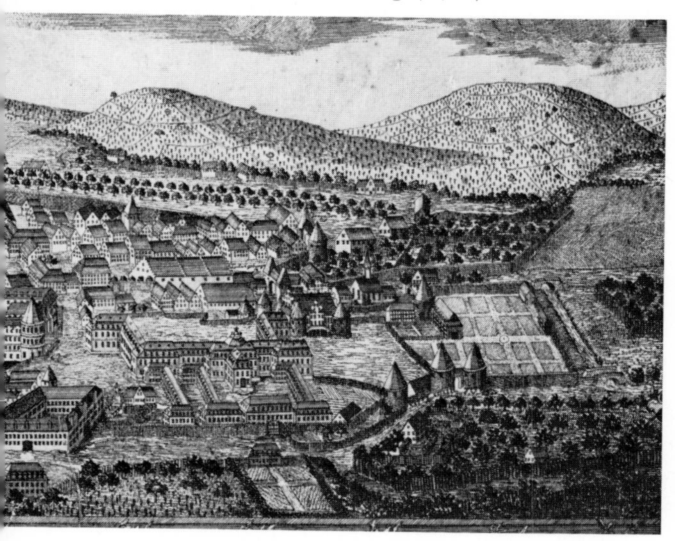

25 Stuttgart, Gesamtansicht. Kupferstich von Johann Heinrich Kretschmer, 1762. Im Vordergrund vom Stadtwappen aus rechts neben dem einen Hof umschließenden Waisenhaus die noch im Bau befindliche ›Untere Kaserne‹, die 1775 die Carlsschule aufnahm. Stuttgart war auch schon zur Stauferzeit Sitz eines hochadligen Dynastengeschlechts, von 1316 an Residenz der Württembergischen Landesherren. Um 1750 hatte es rund 16500 Einwohner, bei der Zählung von 1797 war die Zahl auf 18212 angestiegen.

26 Innenhof der Herzoglichen Militärakademie in Stuttgart. Kolorierter Kupferstich nach einer Zeichnung von Karl Philipp Conz. Am 18. XI. 1775 wurde die Carlsschule von der Solitude in das Zentrum von Stuttgart verlegt. Herzog Carl Eugen persönlich führte seine 300 Akademisten in die neuen Unterkünfte. – Die Gebäude der Carlsschule wurden 1944 völlig zerstört.

27 Balthasar Haug (1731–1792). Kupferstich von Johann Gottfried Saiter nach einem Gemälde von J.K. Schlehauf. Literarhistoriker und Publizist. Von 1775–1792 Professor für Logik, Philosophie, Geschichte, deutschen Stil, Mythologie und Kunstaltertümer an der Carlsschule. In seinem ›Schwäbischen Magazin von gelehrten Sachen‹ erschien 1776 Schillers erstes gedrucktes Gedicht ›Der Abend‹.

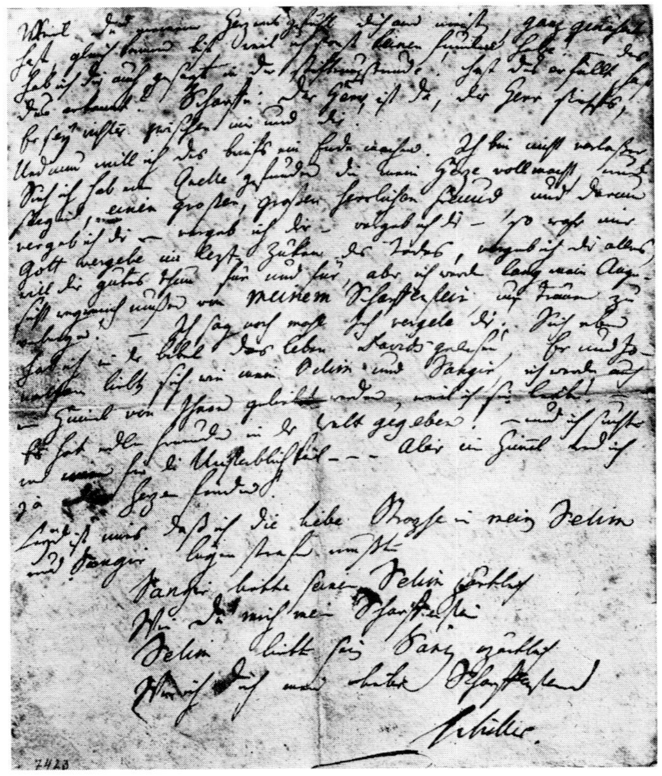

28 Schiller: Brief an Georg Scharffenstein, [1776?]. Schluß. Scharffenstein war Schillers vertrautester Freund in der Akademie. Durch seine Zweifel an der Echtheit der Empfindung, die Schiller in seinen Gedichten zum Ausdruck brachte, war dieser aufs tiefste verletzt und schrieb ihm: »Ich hab nicht bös an Dir gehandelt, wie Du mein Herz anklagst! Es ist rein, heiter, hat bei Deinem Zettel keinen Antheil gefunden, hab nicht erröthen, nicht weinen, nicht beben dürfen, denn es ist rein, ohne Falsch und Trug, darum kann ich izt kluge, ernsthaffte, aufrichtige Worte reden« (Seite vorher).

29 Georg Scharffenstein (1758–1817). Getuschter Schattenriß der Zeit. Scharffenstein, der auch an Schillers ›Anthologie‹ mitarbeitete, schrieb später ›Erinnerungen aus akademischen und Jugendjahren, vorzüglich in Bezug auf Schiller‹. Er war zuletzt Generalleutnant.

30 Friedrich Schiller. Miniatur von Georg Scharffenstein, die in der Carlsschulzeit entstanden ist. Schiller schenkte sie der Mannheimer Schauspielerin Katharina Baumann aus Begeisterung über ihre Darstellung der Luise Millerin im Januar 1785.

Der Junge Schiller fuehrt auf der

31 ›Der Junge Schiller fuehrt auf der Karlschule seinen Herzog Karl vor.‹ Hinterglassilhouette des Carlsschülers Wilhelm Christian Ketterlinus. Während dieser Szene treten der wirkliche Herzog und Franziska von Hohenheim überraschend ein.

32 Franziska Herzogin von Württemberg, Reichsgräfin von Hohenheim, geborene Freiin von Bernerdin (? 1748–1811). Ölgemälde J. F. Weckherlin zugeschrieben, um 1790. Franziska war seit 1770 mit Carl Eugen befreundet. Nach der Scheidung ihrer Ehe mit dem Grafen Leutrum wurde sie 1772 zur Reichsgräfin von Hohenheim erhoben und nach dem Tode der ersten Gattin des Herzogs, Elisabeth Sophie Friderike Markgräfin von Bayreuth, 1785 rechtmäßige Gattin des Herzogs. Sie gewann großen Einfluß auf ihn, war im ganzen Lande beliebt und begegnete den Eleven mit mütterlicher Herzlichkeit. Die grundlegende Wandlung im Leben Herzog Carl Eugens wird mit einem gewissen Recht ihr zugeschrieben.

33 Carl Eugen Herzog von Württemberg. Miniatur der Zeit. Das Schul- und Internatsleben wurde von dem Herzog bis in jede Einzelheit hinein bestimmt. In einem Brief an den Intendanten von Seeger schreibt er einmal, daß ihm auch »die mindesten Kleinigkeiten zu melden (seyen), damit alles durch eine Hand, durch einen Befehl, immer mit gleichen Schritten beurteilt und abgemacht werden könne«. Eine glückliche Hand hatte er vor allem in der Auswahl des Lehrkörpers. Das Bildungsniveau der Schule war auf einem hohen Stand.

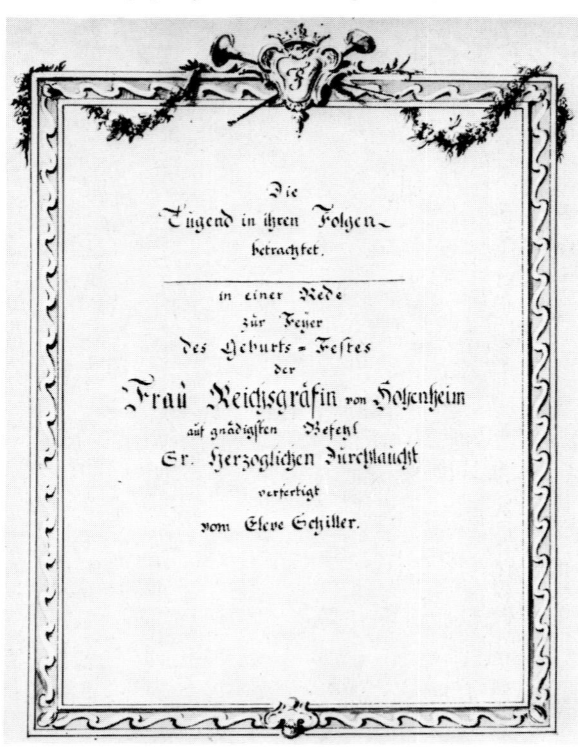

Die
Tugend in ihren Folgen
betrachtet.

in einer Rede
zur Feyer
des Geburts-Festes
der
Frau Reichsgräfin von Hohenheim
auf gnädigsten Befehl
Sr. Herzoglichen Durchlaucht
verfertigt
vom Eleve Schiller.

34 Handschriftlicher Schmucktitel der Festrede, die Schiller zum Geburtstag der Franziska von Hohenheim am 10. 1. 1780 verfaßt hat. Die Geburtstage der Reichsgräfin und späteren Herzogin wurden von den Akademisten mit Theateraufführungen und Reden festlich begangen.

35 Friedrich Gottlieb Klopstock (1724–1803). Ölporträt von Johann Heinrich Wilhelm Tischbein. Klopstocks Dichtungen gehörten zu der Lektüre im ersten Carlsschuljahr. Sie haben Schillers eigene poetischen Versuche dieser Zeit stark beeinflußt. In seiner Abhandlung ›Über naive und sentimentalische Dichtung‹ schrieb er später über diesen Dichter: »Seine Sphäre ist immer das Ideenreich, und ins Unendliche weiß er alles, was er bearbeitet, hinüberzuführen. Man möchte sagen, er ziehe allem, was er behandelt, den Körper aus, um es zu Geist zu machen...«

36 Friedrich Maximilian von Klinger (1752–1831). Kupferstich von Buchhorn. Klingers ›Sturm und Drang‹ gab der Epoche ihren Namen. Das ebenfalls 1776 erschienene Drama ›Die Zwillinge‹ gehörte zu Schillers Lektüre während seiner Carlsschulzeit wie auch der ›Julius von Tarent‹ von Johann Anton Leisewitz.

37 Lessings ›Hamburgische Dramaturgie‹ (1767–1768), mit der sich Schiller eingehend beschäftigt hat, stammt aus seiner Bibliothek. Neben den philosophischen und ästhetischen Schriften von Mendelssohn, Garve und Sulzer gewann besonders Lessing Einfluß auf den jungen Dichter. Sein ›Laokoon‹ und Winckelmanns ›Geschichte der Kunst des Altertums‹ vermittelten ihm Kenntnisse und Anregungen.

Hamburgische Dramaturgie.

Erster Band.

Hamburg.
In Commission bey J. H. Cramer, in Bremen.

38 Friedrich Schiller. Porträt in Öl, Jakob Friedrich Weckherlin zugeschrieben, um 1780. Das früheste Ölporträt des Dichters. – Weckherlin (1761–1814) war von 1772–1785 Carlsschüler, ging dann mit einem Stipendium Herzog Carl Eugens auf Studienreisen und war vom Anfang der 90er Jahre an in Stuttgart als Porträtmaler tätig.

39 Schiller liest seinen Freunden im Bopserwald bei Stuttgart aus seinen ›Räubern‹ vor. Getönte Federzeichnung von Victor Heideloff. Im Hintergrund Stuttgart mit dem Stiftskirchenturm. An der Vorlesung haben teilgenommen (v. l. n. r.): v. Hoven, V. Heideloff, Dannecker, Schiller, Schlotterbeck, Kapf.

40 Johann Friedrich Consbruch (1736–1810). Getuschter Schattenriß, um 1783. Nach dem Studium der Medizin in Tübingen, Göttingen und Straßburg und ärztlicher Tätigkeit in Vaihingen an der Enz wurde Consbruch an die Carlsschule berufen, wo er von 1776–1794 als Professor für Arzneiwissenschaft, Physiologie, Pathologie, Semiotik und Therapie tätig war. Nach Aufhebung der Carlsschule lebte er als praktischer Arzt in Stuttgart. – Consbruch war als einer der medizinischen Lehrer sehr beliebt, förderte das Ansehen der Carlsschule und gewann auf Schiller einen bedeutenden Einfluß. Sein Hauptinteresse galt dem Verhältnis von Körper und Geist.

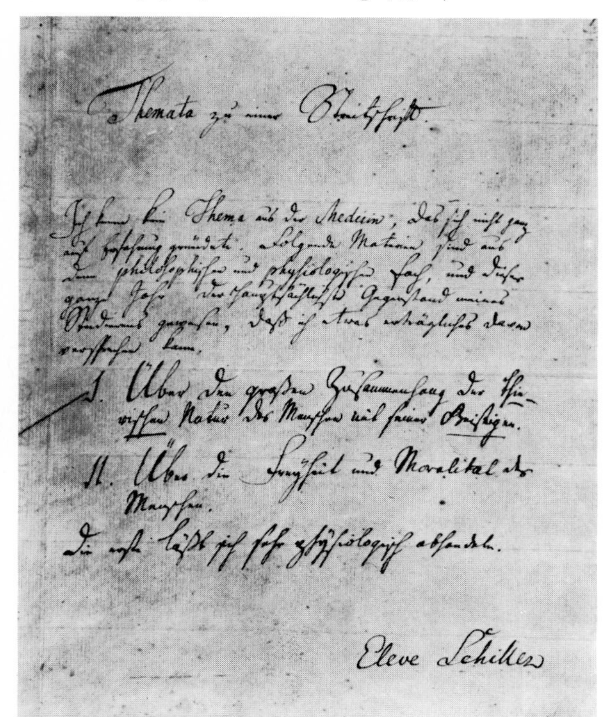

Themata zu einer Streitschrift.

Ich kenne kein Thema aus der Medicin, das sich nicht ganz auf Erfahrung gründete. Folgende Materien sind aus dem philosophischen und physiologischen Fach, und dieser ganze Theil der Hauptsächlichste Gegenstand meines Studiums gewesen, daß ich etwas erträgliches davon versprechen kann.

I. Über den grossen Zusammenhang der thierischen Natur des Menschen mit seiner Geistigen.

II. Über die Freyheit und Moralität des Menschen.

Die erste läßt sich sehr physiologisch abhandeln.

Eleve Schiller

41 Schiller: Vorschläge für eine Dissertation. Eigenhändiges Manuskript, 1780. Unter den aufgeführten Titeln erscheint auch die spätere Doktorarbeit (Randstrich). Nachdem die Akademie auch eine medizinische Fakultät erhalten hatte, wandte sich Schiller, den das Jurastudium nicht befriedigte, diesem Fache zu.

Versuch
über den
Zusammenhang der thierischen Natur des Menschen
mit seiner geistigen.

Eine Abhandlung
welche
in höchster Gegenwart
Sr. Herzoglichen Durchlaucht,
während
den öffentlichen akademischen Prüfungen
vertheidigen wird
Johann Christoph Friderich Schiller,
Kandidat der Medizin in der Herzoglichen Militair-Akademie.

Stuttgard,
gedrukt bei Christoph Friedrich Cotta, Hof- und Canzlei-Buchdruker.

42 Friedrich Schiller: ›Versuch über den Zusammenhang der thierischen Natur des Menschen mit seiner geistigen‹. Titelblatt seiner Dissertation. Widmung an den Herzog vom 30. November 1780. Vermutlich ist die Arbeit kurz danach erschienen.

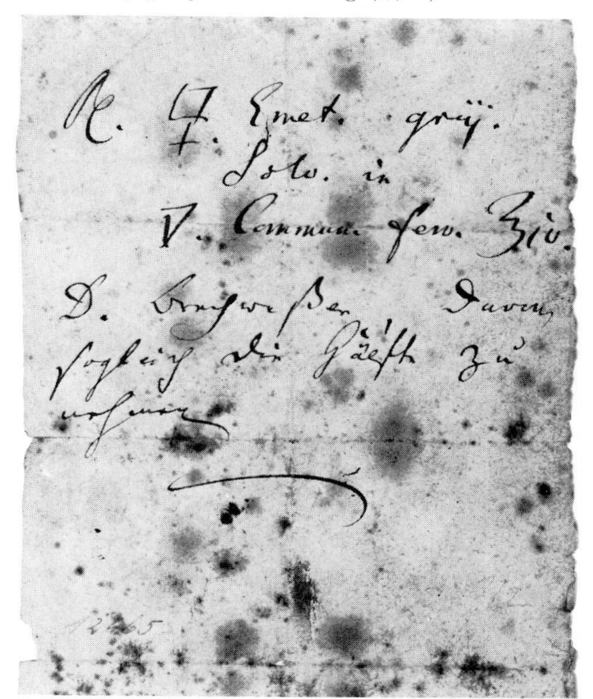

Rc. Tart. Emet. gr. ij.
Solv. in
℥ v. Commun. ferv. [illegible]
D. Brechwasser davon
sogleich die Hälfte zu
nehmen

43 Schiller: Eigenhändiges Rezept aus seiner Tätigkeit als Regimentsmedikus in Stuttgart (1781–1782). Dieses Rezept hat sich als einziges Dokument aus jener Zeit ärztlicher Tätigkeit erhalten. Schiller verordnete »Brechwasser, davon sogleich die Hälfte zu nehmen«. Da der junge Regimentsmedikus zu etwas radikalen Kuren neigte, wurde seine ärztliche Tätigkeit von dem ihm vorgesetzten Leibmedikus Johann Friedrich Elwert, dem Vater seines Ludwigsburger Schulkameraden, überwacht.

44 Die Legionskaserne in Stuttgart. Sepiagetöntes Aquarell von A. Federer. Hier hatte Schiller die Invaliden des Grenadierregiments des Generals Johann Abraham David von Augé als Arzt zu versorgen.

45 Der alte Graben in Stuttgart. Koloriertes Guckkastenbild der Zeit. Die heutige Königstraße. Im Hintergrund die Legionskaserne, links die Hauptwache. – Seine Unterkunft fand Schiller durch Professor Haugs Vermittlung in der Nähe: Eberhardstraße 6 bei der Hauptmannswitwe Luise Dorothea Vischer (1751–1816). , vermutlich eine Art Urbild der »Laura« in den ›Anthologie‹-Gedichten. Im Wirtshaus »Zum Goldenen Ochsen«, Hauptstätterstraße 30, traf sich der Freundeskreis häufig zu froher Runde.

Die

Räuber.

Ein Schauspiel.

Frankfurt und Leipzig,

1781.

46 ›Die Räuber‹, die erste, anonym erschienene Ausgabe, ließ Schiller mit Hilfe eines Darlehens von 150 Gulden auf eigene Kosten in Stuttgart bei Metzler drucken. Die angegebenen Verlagsorte sind fingiert. Ende März 1781 sandte er die sieben ersten Druckbogen an den Buchhändler Christian Friedrich Schwan nach Mannheim, um ihn als Verleger zu gewinnen. Schwan las die Bogen dem Intendanten Dalberg vor, der darauf Interesse an dem Stück gewann. Die Verlagsübernahme lehnte Schwan ab. Die Auflagenhöhe betrug 800 Exemplare.

47 Wolfgang Heribert Freiherr von Dalberg (1750–1806). Getuschter Schattenriß von Bourmester. Dalberg wurde 1778 Intendant des Nationaltheaters in Mannheim, das er mit einem Stab tüchtiger Kräfte im Oktober 1779 eröffnete. Schiller sah ihn zuerst bei der Schlußfeier der Militärakademie 1779 mit Goethe und Herzog Carl August von Sachsen-Weimar. Unter seiner Theaterleitung wurden ›Die Räuber‹ 1782 uraufgeführt. Schiller gegenüber verhielt sich der Intendant sehr vorsichtig, so daß dieser sich nach seiner Flucht zunächst enttäuscht sah. Erst im März 1783 suchte er wieder Verbindung mit dem Dichter und stellte ihn vom 1. IX. 1783 an für ein Jahr als Theaterdichter in Mannheim an. Dalberg schrieb und übersetzte auch selbst Theaterstücke.

48 Das Nationaltheater in Mannheim. Kupferstich der Brüder Joseph, Sebastian und Johann Baptist Klauber nach einer Zeichnung von Johann Franz von der Schlichten, 1782. Das Nationaltheater, in dem die Uraufführung von Schillers ›Die Räuber‹ stattfand, wurde unter Carl Theodor Kurfürst von der Pfalz und von Bayern in den Jahren 1775–1778 erstellt. Das Gebäude, das in der Folgezeit mehrfach umgebaut wurde, fiel im Herbst 1943 dem Bombenkrieg zum Opfer.

Sonntags den 13. Jänner 1782
wird
auf der hiesigen National-Bühne
aufgeführt

Die Räuber.

Ein Trauerspiel in sieben Handlungen; für die Mannheimer Nationalbühne vom Verfasser Herrn Schiller neu bearbeitet.

Personen.

Maximilian, regierender Graf von Moor	Herr Kirchhöfer.
Karl, } seine Söhne	Herr Boeck.
Franz, }	Herr Iffland.
Amalia, seine Nichte	[illegible]
Spiegelberg, } Libertiner, nachher Banditen.	Herr Pöschel.
Schweizer,	Herr Beil.
Grimm,	Herr Rennschüb.
Schufterle,	Herr Frank.
Roller,	Herr Toscani.
Razmann,	Herr Herter.
Kosinsky,	Herr Beck.
Herrmann, Bastard eines Edelmanns	Herr Meyer.
Eine Magistratsperson	Herr Gern.
Daniel, ein alter Diener	Herr Backhaus.
Ein Bedienter	Herr Epp.
Räuber.	
Volk.	

Das Stück spielt in Deutschland im Jahre, als Kaiser Maximilian den ewigen Landfrieden für Deutschland stiftete.

Die bestimmten Eingangsgelder sind folgende:

In die vier ersten Bänke des Parterres zur linken Seite	45 kr.
In die übrige Bänke	24 kr.
In die Reserve-Loge im ersten Stock	1 fl.
In eben eine solche Loge des zweiten Stocks	40 kr.
In die verschlossene Gallerie des dritten Stocks	15 kr.
In die Seiten-Bänke allda	8 kr.

Wegen Länge des Stücks wird heute präcise 5 Uhr angefangen.

49 ›Die Räuber‹. Theaterzettel zur Uraufführung in Mannheim am 13. 1. 1782. Das einzige bekannte Exemplar mit Personenverzeichnis und der dazugehörigen Vorrede an das Publikum. Schiller hatte inkognito mit dem Akademiefreund Petersen ohne Urlaub an der Uraufführung teilgenommen. Die Premiere gehört zu den großen, bahnbrechenden Ereignissen der Theatergeschichte. Von einer zweiten unerlaubten Reise nach Mannheim erhielt der Herzog Kunde. Schiller erhielt 14 Tage Arrest und das Verbot des »Komödienschreibens« bei Strafe der Kassation.

50 Heinrich Beck (1760–1803). Miniaturbildnis der Zeit. Beck war »der beste an Kopf und Herz« unter den Mannheimer Schauspielern und stand Schiller besonders nahe. Er spielte als erster den Kosinsky in den ›Räubern‹, ferner den Ferdinand und den Don Carlos bei den Mannheimer Erstaufführungen. Zusammen mit Iffland, Beil u. a. Schauspielern war er nach der Auflösung des Theaters in Gotha nach Mannheim gekommen. Er hat auch eigene Stücke geschrieben und gab später Gastrollen in Weimar.

51 August Wilhelm Iffland (1759–1814). Miniaturbildnis der Zeit. Iffland, einer der berühmtesten Schauspieler seiner Zeit, war der erste Darsteller des Franz Moor in Mannheim. Er hatte 1777 bei Conrad Ekhoff in Gotha debütiert und war zwei Jahre später nach Mannheim gekommen. Als Verfasser zugkräftiger Stücke wurde er zu einem Konkurrenten Schillers. Später spielte er als Gast in Weimar und wurde 1796 Direktor des Nationaltheaters in Berlin.

52 Friedrich Schiller. Kupferstich von G. F. Riedel nach Friedrich Kirschner, 1784. Das erste für die Öffentlichkeit bestimmte Bildnis des Dichters mit einer Szene aus den ›Räubern‹. Körner gegenüber äußerte sich Schiller über dieses Bild: »Um Himmelswillen aber, beurtheilen Sie mich nicht nach einem Kupferstich … der Kupferstecher hat mir funfzehn Jahre mehr auf die Rechnung gesetzt, als ich mich erinnre gelebt zu haben …«

53 Johann Rudolph Zumsteeg Vertonungen zu Schillers ›Räubern‹ erschienen bei dem Musikverleger Johann Michael Götz, dem späteren Schwiegersohn des Buchhändlers Schwan, 1782. Die Lieder von Schillers Stuttgarter Freund wurden wahrscheinlich schon bei der Uraufführung gesungen. Zumsteeg erhielt seine musikalische Ausbildung in der Carlsschule. Er war der erste, der Gedichte Schillers vertonte. Er leistete Beachtliches in der Liederkomposition im Volkston, und seine Balladen haben entscheidend auf Schubert und Löwe eingewirkt. 1792 wurde er Leiter der Stuttgarter Oper.

Die
Räuber.

Ein Schauspiel
von fünf Akten,
herausgegeben
von
Friderich Schiller.

Zwote verbesserte Auflage.

Frankfurt und Leipzig.
bei Tobias Löffler. in Manheim.
1782.

54 Friedrich Schiller: ›Die Räuber. Ein Schauspiel, von 5 Akten. Zwote verbesserte Auflage. Frankfurt und Leipzig. Tobias Löffler 1782.‹ Titelblatt. Von der ohne Wissen Schillers erschienenen zweiten Ausgabe existieren zwei textlich übereinstimmende, typographisch abweichende Drucke, die man an

Die
Räuber
ein Trauerspiel
von
Friedrich Schiller.

Neue
für die Mannheimer Bühne verbesserte
Auflage.

Mannheim,
in der Schwanischen Buchhandlung
1782.

den Titelvignetten unterscheiden kann: Die tatsächlich 1782 gedruckte zweite Auflage enthält die Titelvignette mit dem nach links aufsteigenden Löwen. Die Vignette mit dem nach rechts aufsteigenden Löwen gehört zu einem Nachdruck. Dieser Neudruck muß zwischen 1786 und 1793 entstanden sein. Das viel zitierte Motto »in Tirannos« stammt nicht von Schiller.

55 Friedrich Schiller: ›Die Räuber ein Trauerspiel ...‹ Neue für die Mannheimer Bühne verbesserte Auflage. Mannheim: Schwan 1782. Die Fassung entsprach im wesentlichen dem Text der Uraufführung und ist als rechtmäßige zweite Ausgabe anzusehen.

56 Christian Friedrich Daniel Schubart (1739–1791). Kreidezeichnung der Zeit. Stürmische Vitalität und Volkstümlichkeit zeichneten den hochbegabten, wenngleich ungezügelten Dichter, Musiker und Journalisten aus. Nach unruhigen Wanderjahren faßte er mit seiner ›Deutschen Chronik‹ in Ulm Fuß. 1777 wurde er auf württembergischen Boden gelockt, verhaftet und zehn Jahre auf dem Hohenasperg gefangengehalten. Sein Sohn Ludwig Albrecht wurde in die Hohe Carlsschule aufgenommen.

57 Festung Hohenasperg. Radierung der Zeit. Hier war Schubart bis 1787 gefangen. Kommandant der Festung war der berüchtigte Oberst Rieger, Schillers Freund Scharffenstein zeitweise einer der diensttuenden Offiziere. Erst spätere Jahre brachten Hafterleichterungen für Schubart und ermöglichten eine Fortsetzung seiner poetischen und musikalischen Produktion. Ende des Jahres 1781 besuchte Schiller zusammen mit seinem Freund Hoven den eingekerkerten Dichter.

Anthologie

auf das Jahr

1782.

Gedrukt in der Buchdrukerei
zu Tobolsko.

58 Schiller: ›Anthologie auf das Jahr 1782. Gedruckt in der Buchdruckerei Tobolsko‹ Titelblatt. Eine von Schiller herausgegebene Gedichtsammlung, die vorwiegend eigene, aber auch Gedichte seiner Carlsschulfreunde enthält. Die Angabe des Druckorts ist fingiert. Es handelt sich in Wirklichkeit um den

Verleger J. B. Metzler in Stuttgart. Die Widmung lautet: »Meinem Principal dem Tod zugeschrieben.« Die Sammlung enthält 83 Gedichte.

59 Die große Truppenschau im Hof des Residenzschlosses in Stuttgart. Nach einem Giosuè Scotti (1729–1785) zugeschriebenen Ölgemälde, 1782. Diese Militärparade fand als Abschluß des Fürstenbesuchs des russischen Großfürsten Paul Petrowitsch, später Zar Paul I., und seiner Gemahlin Maria Fedorowna, einer Nichte Carl Eugens, am 26. IX. 1782 statt. Im Rahmen der repräsentativen Veranstaltungen hatte man am 22. IX. 1782 das Schloß Solitude festlich beleuchtet. Diesen Tag hatte Schiller zur Flucht gewählt.

60 Johann Andreas Streicher (1761–1833). Büste von Franz Klein, undatiert. Der Freund und Fluchtgefährte Schillers hatte sich in Stuttgart als Musiker ausgebildet. In seinem posthum erschienenen Buch ›Schillers Flucht von Stuttgart und Aufenthalt in Mannheim 1782–1785‹, einer der wichtigsten Quellen für die Jugendgeschichte Schillers, erzählt er eindrucksvoll von diesen für Schiller sehr schweren Tagen. Streicher heiratete 1794 Nanette Stein aus der mit Mozart befreundeten Augsburger Familie, deren Hammerklavierbau Streicher in Wien weiterführte. Mit Beethoven befreundet, spielte er im Musikleben der Stadt eine wichtige Rolle.

61 Friedrich Schiller: Entwurf eines Briefes an Herzog Carl Eugen. Stuttgart, 1. IX. – Mannheim, 24. IX. 1782. In diesem nicht abgeschickten Brief schreibt Schiller über den eigentlichen Grund seiner Flucht: »Eine innere Überzeugung, daß mein Fürst, und unumschränkter Herr zugleich auch mein Vater sey, gibt mir gegenwärtig die Stärke Höchstdenenselben einige unterthänigste Vorstellungen zu machen, welche die Milderung des mir gnädigst zugekommenen Befehls: nichts lit-

terarisches mehr zu schreiben, oder Ausländern zu communicieren, zur Absicht haben ... Da ... meine Umstände aber eine gnädigste Milderung des mir gemachten Verbots höchst nothwendig machten, so zwang mich die Verzweiflung, den izigen Weeg zu ergreifen ...«

62 Mannheim vom linken Rheinufer aus. Kupferstich nach der Natur von Jakob Rieger, 1788. Am Morgen des 24. IX. 1782 traf Schiller in Mannheim ein. Sein Fluchtweg hat ihn über Enzweihingen, Bretten und Schwetzingen geführt.

Die

Verſchwörung

des

Fiesko zu Genua.

Ein republikaniſches Trauerſpiel

von

Friederich Schiller.

— Nam id facinus inprimis ego memorabile exiſtimo,
ſceleris atque periculi novitate.

Salluſt vom Katilina.

Mannheim

in der Schwaniſchen Hofbuchhandlung

1 7 8 3.

63 Schiller: ›Die Verschwörung des Fiesko zu Genua. Ein republikanisches Trauerspiel.‹ Mannheim: Schwanische Hofbuchhandlung 1783. Titel der Erstausgabe. Einwände Ifflands, die bei einer Sitzung des Mannheimer Theaterausschusses vorgebracht worden waren, hatten Schiller zu Änderungen in der Buchausgabe veranlaßt. Die Erstausgabe erschien Ende April.

64 Der Viehhof zu Oggersheim. Holzstich nach einer Zeichnung von C. Schüler. In diesem Gasthof wohnten Schiller als Dr. Schmidt und Streicher als Dr. Wolf von Mitte Oktober bis Ende November 1782. Schiller arbeitete auf Dalbergs Wunsch seinen ›Fiesko‹ um. Er führte ein zurückgezogenes Leben und verkehrte bei häufigen abendlichen Besuchen in Mannheim nur mit dem Regisseur Christian Dietrich Meyer und dessen Freunden.

65 Christian Friedrich Schwan (1733–1815). Ölporträt der Zeit. Nach einem Studium der Theologie und bewegten Wanderjahren hatte sich Schwan 1765 in Mannheim als Buchhändler niedergelassen. In seinem Verlag erschienen 1782 die Theaterbearbeitung der ›Räuber‹, ›Fiesko‹ 1783 und ›Kabale und Liebe‹ 1784, die er dann mehrmals nachdruckte, ohne sich mit Schiller zu verständigen und ohne ihm Honorar zu bezahlen. Schwan, der selbst Schauspiele und Singspiele schrieb, stand auch in Beziehung zu Lessing, Schubart, Wieland, Herder und Goethe.

66 Schiller: Erster Plan zu ›Don Karlos – Prinz von Spanien‹. Eine Seite aus der 1783 in Bauerbach entstandenen Handschrift. Vor der Reise gelang noch ein Treffen mit der Mutter und der Schwester Christophine am 22. XI. 1782.

67 Charlotte Freiin v. Wolzogen (1766–1794). Lithographie der Zeit. Schiller lernte die Tochter Henriette von Wolzogens in Bauerbach kennen, wo sie öfter mit ihrer Mutter zu Besuch weilte, und faßte eine schwärmerische Neigung zu ihr. »Noch ganz wie aus den Händen des Schöpfers, unschuldig, die schönste, weichste, empfindsamste Seele, und noch kein Hauch des allgemeinen Verderbnisses am lauteren Spiegel ihres Gemüts – so kenne ich ihre Lotte...«, schrieb Schiller an den Bruder Wilhelm von Wolzogen, den er von der Carlsschule her kannte.

68 Schillers Wohnung in Bauerbach. Lithographie, 1859. Als Gast der Henriette Freifrau von Wolzogen weilte Schiller vom Dezember 1782 bis zum 24. VII. 1783 auf ihrem Gut in Bauerbach. In der Bauerbacher Zeit schrieb Schiller ›Kabale und Liebe‹ und begann den ›Don Carlos‹.

69 Nonnenkirche und Hubertushaus in Mannheim. Kupferstich von Joseph, Sebastian und Johann Baptist Klauber nach einer Zeichnung von Johann Franz von der Schlichten, 1782. Von Juli bis Anfang November 1783 wohnte Schiller, der am 1. September als Mannheimer Theaterdichter angestellt worden war, bei Madame Hammelmann im Hubertushaus gegenüber dem Schloß. Er hatte die Verpflichtung, jährlich drei Stücke zu liefern (einschl. ›Fiesko‹ und ›Kabale und Liebe‹). Jahresgehalt: 300 Gulden. Seine Zweizimmerwohnung kostete wöchentlich 1 Gulden.

70 Friedrich Schiller. Unvollendetes Ölporträt aus der Mannheimer Zeit von unbekannter Hand.

Kabale und Liebe

ein

bürgerliches Trauerspiel

in fünf Aufzügen

von

Fridrich Schiller.

Mannheim,

in der Schwanischen Hofbuchhandlung,

1784.

71 Schiller: ›Kabale und Liebe. Ein bürgerliches Trauerspiel in fünf Aufzügen.‹ Mannheim: Schwanische Hofbuchhandlung 1784. Titelseite der Erstausgabe. Die Änderung des ursprünglichen Titels ›Louise Millerin‹ in ›Kabale und Liebe‹ erfolgte auf Vorschlag Ifflands.

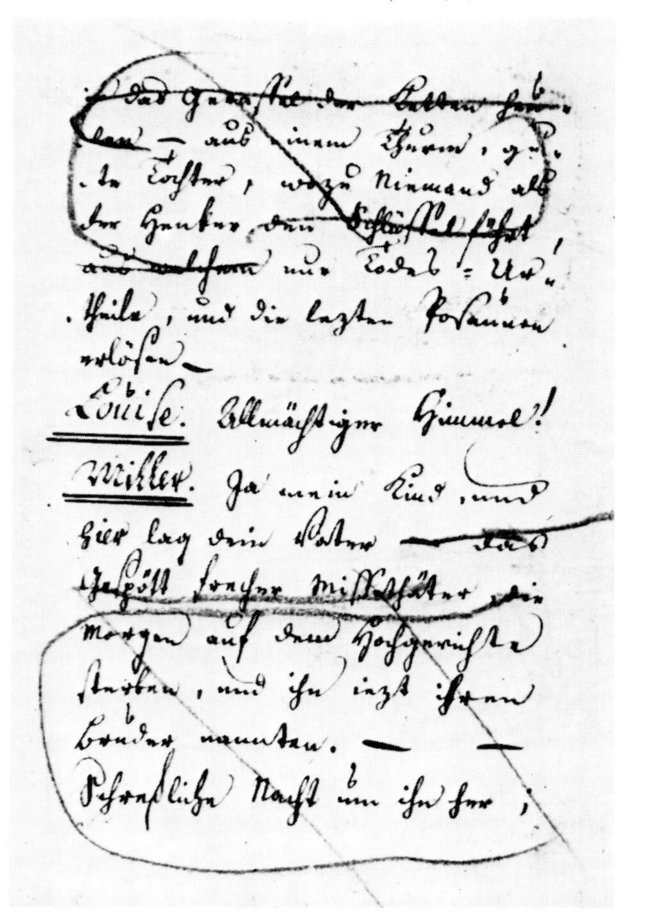

und die lezten Posaunen
erlösen —
Luise. Allmächtiger Himmel!
Miller. Ja mein Kind, und
hier lag dein Vater
morgen auf dem Hochgerichte
sterben, und ihr izt ihren
Schrekliche Nacht um ihn her,

72 Schiller: Eine Seite aus dem Mannheimer Rollenheft zu ›Kabale und Liebe‹. Die Mannheimer Erstaufführung fand unter großem Beifall am 15. IV. 1784 statt. Die Uraufführung war diesmal unter Gustav Friedrich Wilhelm Großmann (1743–1796) in Frankfurt am Main am 13. IV. 1784. Am 3. Mai erlebte Schiller eine Frankfurter Aufführung.

73 Friedrich Schiller (?). Vermutlich Erstfassung des Ölgemäldes von Christian Jakob Höflinger, 1781. Der Künstler ist ein Ludwigsburger Porzellanmaler der wahrscheinlich den berühmten ›Räuber‹-Dichter porträtierte. Diese Fassung ist erst kürzlich aufgetaucht.

74 Katharina Baumann (1766–1849). Miniaturporträt der Zeit (Ausschnitt). Die von Schiller verehrte Mannheimer Schauspielerin spielte 1785 die Luise in ›Kabale und Liebe‹. 1787 wurde sie die Frau des Cellisten und späteren Kapellmeisters Peter Ritter in Mannheim.

Ohrfeig um Ohrfeig — das ist so
Tax bey uns — Halten zu Gna
den.

Zum Glück war mir noch nie für
die Ausführung eines Entwurfs
bange.
I. Aufz. 5. Auftr.

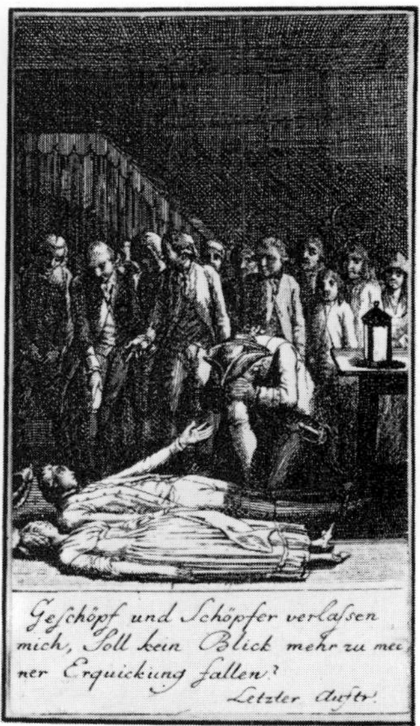

75 Daniel Nikolaus Chodowiecki: Kupferstiche zu Schillers ›Kabale und Liebe‹. In: Königlich-britischer genealogischer Kalender auf das Jahr 1786. Lauenburg: Johann Georg Berenberg. Die ausgewählten 4 Illustrationen stellen folgende Szenen dar: I. Aufzug, 2. Szene; I. 5; II. 6. und letzte Szene.

76 Charlotte Sophia Juliana von Kalb geb. Marschalk von Ostheim (1761–1843). Ölgemälde von Johann Friedrich August Tischbein, undatiert. Frau von Kalb stammte aus Waltershausen bei Meiningen und war die Frau des Hauptmanns Heinrich von Kalb, der in Landau in Garnison war. Schiller lernte sie 1784 in Mannheim kennen. Ihre sensible und empfängliche Natur zog ihn an, er machte sie mit der Welt des Theaters und der Kunst vertraut, während Charlotte ihn in die Umgangsformen der oberen Gesellschaft einführte. Schauspieler des Mannheimer Theaters, Streicher und andere Bekannte des Dichters verkehrten gerne in ihrem gastlichen Hause. Einen Monat nach Schillers Abreise von Mannheim nach Leipzig schrieb ihm Charlotte von Kalb: »Gütiger Gott, was sind sich unsere Herzen gewesen! was sind sie sich noch!...«

77. Anna Margaretha Schwan (1766–1796). Lithographie v. C. Lang. Die älteste Tochter des Buchhändlers Schwan, in dessen Hause Schiller in seiner Mannheimer Zeit ständiger Gast war. Nach seinem Verlassen Mannheims hat Schiller von Leipzig aus um ihre Hand angehalten. Eine Verbindung kam jedoch nicht zustande. Margarete Schwan heiratete später den Advokaten Karl Friedrich Treffz. 1793 begegnete Schiller ihr nochmals in Heilbronn.

78 Carl August Herzog von Sachsen-Weimar. Lithographie von M. Knäbig. Dank der Vermittlung von Frau von Kalb konnte Schiller Herzog Carl August, als dieser den Darmstädter Hof besuchte, den ersten Akt seines ›Don Carlos‹ vorlesen.

79 Dekret über die Ernennung Schillers zum Fürstlichen Rat durch Herzog Carl August. Die Vorlesung fand am 26. XII. 1784 statt. Am Tag danach wurde Schiller von dem Weimarer Herzog empfangen, und dieser verlieh ihm auf seine Bitte hin »mit vielem Vergnügen« am 14. 1. 1785 diesen Titel, der ihm den Zugang zu den weimarischen Hofkreisen öffnete.

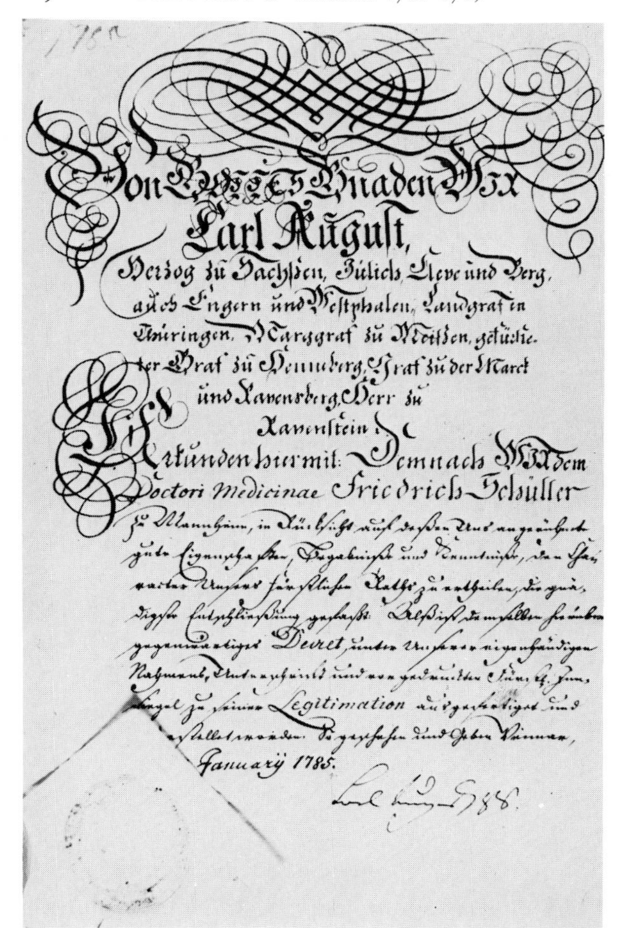
1785

Von Gottes Gnaden Wir
Carl August,
Herzog zu Sachsen, Jülich, Cleve und Berg,
auch Engern und Westphalen, Landgraf in
Thüringen, Marggraf zu Meißen, gefürste-
ter Graf zu Henneberg, Graf zu der Marck
und Ravensberg, Herr zu
Ravenstein:
Urkunden hiermit: Demnach Wir dem
Doctori Medicinae Friedrich Schiller
zu Mannheim, in Rücksicht auf dessen Uns angerühmten
guten Eigenschaften, Begabung und Kenntnisse, den Cha-
racter Unsers fürstlichen Raths zu ertheilen, die gnädigste Entschließung gefaßt: Als ist demselben hierüber
gegenwärtiges Decret, unter Unserer eigenhändigen
Nahmens Unterschrift und vorgedruckten Fürstl. In-
siegel zu seiner Legitimation ausgefertiget und
zugestellet worden. So geschehen und geben Weimar,
Januarij 1785.
Carl August

80 Anna Maria Jakobina, genannt Minna Stock (1762–1843). Bleistiftzeichnung von Dora Stock, 1784. Sie war die Tochter des Leipziger Kupferstechers Stock (Goethes Zeichenlehrer), verlobte sich im Mai 1784 mit Christian Gottfried Körner und vermählte sich mit ihm 1785. Diese Hochzeit wurde von Schiller in einem vielstrophigen Gedicht gefeiert. Minna Körner wird als anmutige junge Frau geschildert mit Herzensgüte und einem frischen, fröhlichen Sinn.

81 Christian Gottfried Körner (1756–1831). Bleistiftzeichnung von Dora Stock, 1784. Im Juni 1784 wurde Schiller ein Päckchen übermittelt, das eine seidene Brieftasche, vier Porträtzeichnungen, eine Komposition zu den ›Räubern‹ und einen Brief von Körners Hand enthielt, der Schiller einlud, nach Leipzig zu kommen. Die Absender waren Christian Gottfried Körner, seine Braut Minna Stock, deren Schwester Dora Stock und der mit ihr verlobte Schriftsteller Ludwig Ferdinand Huber.

82 Johanna Dorothea, genannt Dora Stock (1760–1832). Selbstbildnis. Bleistiftzeichnung, 1784. Ihr langes Verlöbnis mit Huber endete 1792, da Huber Verbindungen mit Therese Forster aufgenommen hatte. Dora Stock lebte mit im Körnerschen Familienkreis. Sie war klein, von etwas verwachsener Gestalt, hatte Geist und Humor, war musikalisch begabt und bewies in ihren Bildern ein gutes künstlerisches Talent.

83 Ludwig Ferdinand Huber (1764–1804). Bleistiftzeichnung von Dora Stock, 1784. Als Verlobter von Dora Stock gehörte Huber dem Körnerschen Kreise an. In Leipzig und Dresden lebte er im engsten Verkehr mit Schiller, mit dem er eine Zeitlang auch zusammenwohnte. Später heiratete er Therese Forster, die Witwe von Georg Forster, und wurde Schriftleiter der von Cotta begründeten ›Allgemeinen Zeitung‹ in Tübingen, Stuttgart und zuletzt in Ulm.

84 Friedrich Schiller. Ölgemälde aus seiner Mannheimer Zeit. Eine Malariaerkrankung hinderte Schiller, den eingegangenen Verpflichtungen als Theaterdichter nachzukommen. Sein Vertrag wurde nicht verlängert.

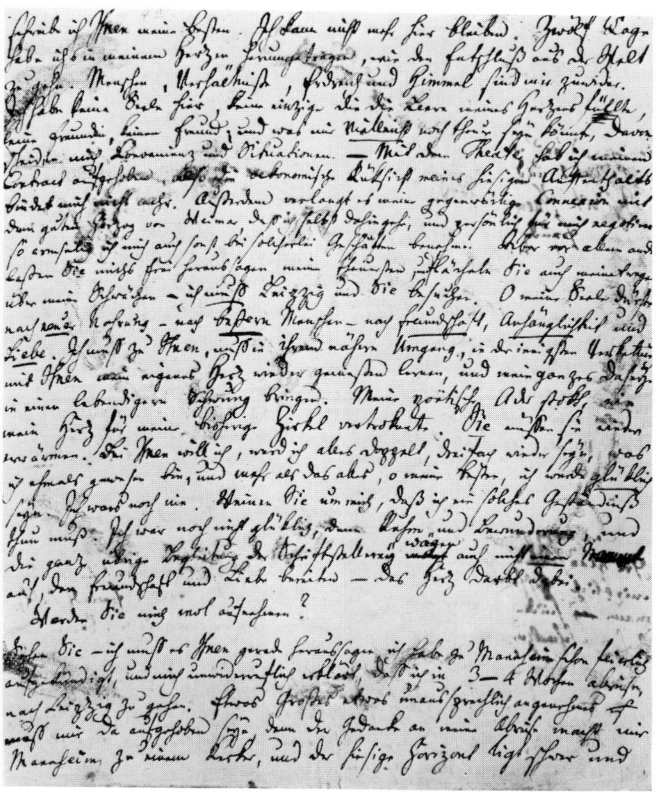

schreib ich Ihnen meine Bitten. Ich kann nicht mehr hier bleiben. Zwölf Tage habe ichs in meinem Herzen herumgetragen, wie den Entschluß aus der Welt zu gehen. Menschen, Verhältniße, Erdreich und Himmel sind mir zuwider. Ich habe keine Seele hier, keine einzige, die die Leere meines Herzens füllte, keine Freundin, keinen Freund; und was mir vielleicht noch theuer seyn könnte, davon scheiden mich Convenienz und Situationen. — Mit dem Theater hab ich meinen Contract aufgehoben, also die oekonomische Rüksicht meines hiesigen Aufenthalts bindet mich nicht mehr. Außerdem verlangt es meine gegenwärtige Connexion mit dem guten Herzog von Weimar, daß ich selbst dahingehe, und persönlich für mich negotiire, so ermüdet ich mich auch sonst, bei solcherlei Geschäften benehme. Aber vor allen andern lassen Sie mich frei heraussagen meine stärksten [illegible] Sie auch meine Augen über mein Schreiben — ich muß Leipzig und Sie besuchen. O meine Seele dürstet nach neuer Nahrung — nach bessern Menschen — nach Freundschaft, Anhänglichkeit und Liebe. Ich muß zu Ihnen, muß in Ihrem nähern Umgang, in der innigsten Verkettung mit Ihnen mein eigenes Herz wieder genießen lernen, und mein ganzes Daseyn in einen lebendigern Schwung bringen. Meine poetische Ader stokt, wie mein Herz für meine bisherige Zirkel vertrokent. Sie müssen sie wieder erwärmen. Bei Ihnen will ich, werd ich alles doppelt, dreifach wieder seyn, was ich ehmals gewesen bin, und mehr als das alles, o meine Besten, ich werde glüklich seyn. Ich ward noch nie. Weinen Sie um mich, daß ich ein solches Geständniß thun muß. Ich war noch nicht glüklich, denn Ruhm und Bewunderung, und die ganz übrige Begleitung der Schriftstellerey wägen auch nicht [illegible] auf, den Freundschaft und Liebe bereiten — das Herz darbt dabei.

Werden Sie mich wol aufnehmen?

Sehen Sie — ich muß es Ihnen gerad heraussagen ich habe zu Mannheim schon feierlich aufgekündigt, und mich unwiderruflich erklärt, daß ich in 3–4 Wochen abreise, nach Leipzig zu gehen. Etwas Großes etwas manchmal gräßlich angenehmes ist mir da aufgehoben seyn, denn der Gedanke an meine Abreise macht mir Mannheim zu einem Kerker, und der hiesige Horizont liegt schwer und

85 Schiller. Erster Brief an Körner. Mannheim, 10./22. II. 1785. Schiller schrieb dem späteren Lebensfreund, dessen Freundschaftsbeweis er in besonders drückender Lage erhalten hatte: »Leipzig erscheint meinen Träumen und Ahndungen, wie der rosigte Morgen jenseits den waldigten Hügeln. ... Es braucht nichts als eine solche Revolution meines Schiksals, daß ich ein ganz andrer Mensch – daß ich *anfange*, Dichter zu werden...«

86 Der Marktplatz in Leipzig. Nach einem Aquarell von Ch. G. H. Geilser. Nachdem Körner das nötige Reisegeld geschickt hatte, verließ Schiller am 4. IV. 1785 Mannheim und traf nach 9 Tagen in Leipzig ein. Es war gerade Messezeit. Er wurde von Huber begrüßt, weil Körner in Dresden war. – Als Universitäts-, Messe- und Buchhandelszentrum spielte Leipzig im kulturellen und wirtschaftlichen Leben jener Zeit eine bedeutende Rolle.

87 Georg Joachim Göschen (1752–1828). Lithographie nach einer Zeichnung von Johann Samuel Graenicher. Mit finanzieller Unterstützung Körners hatte Göschen 1785 in Leipzig eine Verlagsbuchhandlung gegründet. In ihr erschienen von Schiller: ›Thalia‹, ›Neue Thalia‹, ›Der Geisterseher‹, ›Dom Karlos‹ und die ›Geschichte des Dreyßigjährigen Kriegs‹ im ›Historischen Kalender für Damen‹. Schillers Verlagsverbindung mit Cotta trübte später die Beziehung zu Göschen, doch fanden sie sich 1798 wieder zusammen.

88 Das Richtersche Kaffeehaus in Leipzig. Kupferstich der Zeit. Hier im zweiten Stock des barocken Romanushauses trafen sich die Dichter und Künstler der Stadt. Schiller war nach seinem Eintreffen in Leipzig häufiger Gast dieses Cafés und lernte dort u. a. den Dramatiker Christian F. Weiße, den Kapellmeister Adam Hiller kennen, die Maler Oeser, Reinhart, ebenso Göschen.

89 Das Schillerhaus in Leipzig-Gohlis. Lithographie von Carl Heyn. Zusammen mit Huber, Göschen und dem Maler Johann Christian Reinhart weilte Schiller vom Mai bis August 1785 in Gohlis, dem kleinen, nördlich von Leipzig gelegenen Sommerkurort. Er bewohnte zwei Zimmer im oberen Stock des Hauses, Göschen das Erdgeschoß. Der Dichter arbeitete eifrig am ›Don Karlos‹ und an Beiträgen für die ›Thalia‹.

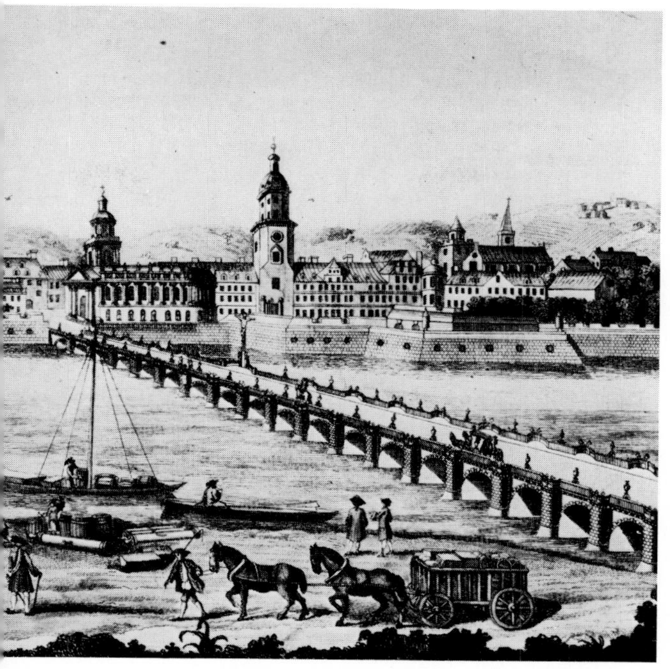

90 Dresden, Gesamtansicht. Kolorierter Kupferstich von Patton. Am 11. IX. 1785 zog Schiller von Leipzig-Gohlis nach Dresden, wo er bis zum 20. VII. 1787 Körners Gast war. »Ich habe sein Herz noch nie auf einem falschen Klang überrascht; sein Verstand ist richtig, uneingenommen und kühn; in seinem ganzen Wesen ist eine schöne Mischung von Feuer und Kälte«, schrieb Schiller über Körner am 20. XI. 1788 an Charlotte von Lengefeld und ihre Schwester.

91 Christian Gottfried Körner. Pastell von Dora Stock, 1792 für Schiller gemalt. Körner war der Sohn eines Theologen. Er hatte Rechtswissenschaft studiert und war Privatdozent in Leipzig gewesen. 1782 wurde er Konsistorialadvokat, 1784 Oberkonsistorialrat am Oberkonsistorium in Dresden, 1790 Appelationsgerichtsrat. Die Begegnung mit Körner und die Freundschaft mit diesem hochgebildeten, den Künsten und der Philosophie aufgeschlossenen Manne wurde für den drei Jahre jüngeren Dichter zu einem der entscheidendsten Ereignisse seines Lebens. Körner vermochte die Werke des Freundes kritisch zu beurteilen. Als einer der ersten Anhänger Kants wies er Schiller immer wieder auf den Königsberger Philosophen hin. In seinem Dresdner Haus traf sich eine geistige Elite: Goethe, Mozart, die Brüder Humboldt und Schlegel, Novalis, Tieck und Kleist waren seine Gäste. Körner, der in guten Verhältnissen lebte, sah es als wichtige Aufgabe an, dem Dichter taktvoll über wirtschaftliche Schwierigkeiten hinwegzuhelfen. Die beiden Dresdner Jahre wurden zu den glücklichsten seines Lebens.

92 Schiller: Hochzeitsbrief an das Brautpaar Körner, zum 7. VIII. 1785. »An dem Morgen des Tages, der Euch gränzenlos glüklich macht, bete ich freudiger zu der Allmacht. – Wünschen kann ich euch nichts mehr. Jezt habt ihr ja *Alles*. Euer Glük zu vergrößern, müßte der Himmel eure Sterblichkeit aufheben. – Euer Glük ruht in Euren Herzen, es kann also nimmermehr aufhören. Aber wenn ihr nichts mehr zu wünschen findet, wenn das Wonnegefühl, Euch zu besizen, eure ganze Seele füllt, so schenkt wenigstens einen Seitenblik noch der Freundschaft …«

93 Weinberghaus Körners in Loschwitz. Sepiazeichnung der Zeit. Hinter dem Wohnhaus Körners lag am rebenbewachsenen Hang ein Weinberghäuschen, in das sich Schiller zu seinen dichterischen Arbeiten zurückziehen konnte.

94 Aussicht von Körners Weinberg nach Blasewitz an der Elbe. Kupferstich von Nemetscheck. Bei häufigen Ausflügen ans andere Elbufer lernte Schiller die Schankwirtstochter Justine Segedin kennen, die er als »Gustel von Blasewitz« in den ›Wallenstein‹ aufnahm.

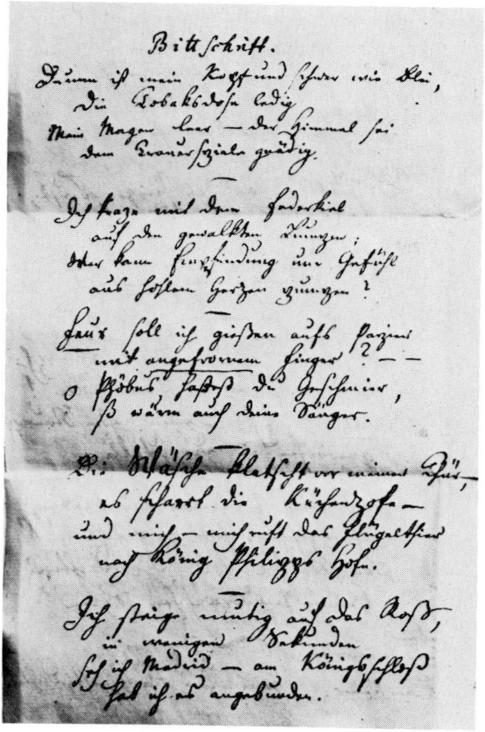

95 Schiller: ›Unterthänigstes Pro Memoria an die Consistorialrath Körnerische weibliche Waschdeputation in Loschwitz eingereicht von einem niedergeschlagenen Trauerspieldichter‹, Mitte Oktober 1785. (S. 1 der ›Bittschrift‹). Ein Scherzgedicht, das während der Arbeit am ›Dom Karlos‹ entstand. Schiller war während eines Ausflugs des Körnerschen Ehepaars bei seiner dramatischen Arbeit zurückgeblieben und durch Bauhandwerker und Waschfrauen gestört worden. »... Die Wäsche klatscht vor meiner Thür, – / es scharrt die Küchenzofe – / und mich – mich ruft das Flügelthier / nach König Philipps Hofe ...«

Dom Karlos

Infant von Spanien

von

Friedrich Schiller.

Leipzig,
bei Georg Joachim Göschen
1787.

96 Friedrich Schiller: ›Dom Karlos. Infant von Spanien‹. Leipzig: Göschen 1787. Titelblatt der Erstausgabe mit dem Titelkupfer von E. Verelst. Die Buchausgabe des ›Dom Karlos‹ erschien Ende Juni, nachdem die ersten Akte bereits in Heft 1–4 der ›Thalia‹ abgedruckt worden waren. Schiller zog zunächst die ältere, vom Lateinischen abgeleitete Fassung »Dom« dem moderneren »Don« vor.

97 Schiller. Pastellbild von Dora Stock nach dem Ölgemälde von Anton Graff. Während seines Aufenthalts bei Körner trieb Schiller vorwiegend Geschichtsstudien. Namentlich die Zeit des Dreißigjährigen Krieges faszinierte ihn.

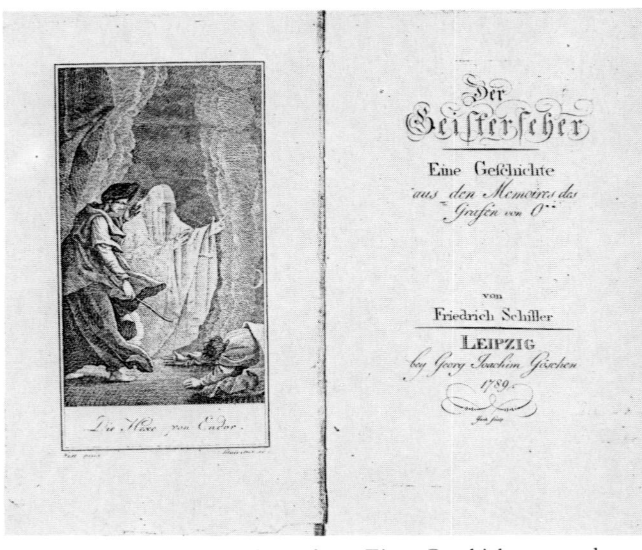

Der Geisterseher

Eine Geschichte
aus den Memoires des
Grafen von O**

von
Friedrich Schiller

LEIPZIG
bey Georg Joachim Göschen
1789.

98 Schiller: ›Der Geisterseher. Eine Geschichte aus den Memoires des Grafen von O.‹. Leipzig: Göschen 1789. Mit dem Titelkupferstich von Malvieux nach einer Zeichnung von West. Erste Buchausgabe von Schillers Erzählung, die in Fortsetzungen in der ›Thalia‹ erschienen war, aber Fragment geblieben ist.

99 Illustration zu Schillers ›Geisterseher‹ von Ludwig Friedrich Prinz von Schwarzenburg-Rudolstadt. Getönte Zeichnung. Die dargestellten Personen sind Porträts aus der Rudolstädter Gesellschaft. Schiller schrieb darüber an Körner am 5. VII. 1788: »... Der junge Erbprinz hat eine Zeichnung aus dem Geisterseher gemacht, die nicht übel gerathen ist...«

100 Friedrich Ludwig Schröder (1744–1816). Kupferstich von K. M. Ernst. Dieser hervorragende Schauspieler leitete seit 1771 das Theater in Hamburg und setzte Shakespeare auf der deutschen Bühne durch. Er brachte als erster am 29. VIII. 1787 den ›Don Carlos‹ zur Aufführung. Vergeblich lud Schröder Schiller immer wieder nach Hamburg ein. Im Juli 1800 war Schröder, der sich 1798 vom Theater zurückgezogen hatte, in Weimar. Er hat selbst zahlreiche Bühnenstücke verfaßt und übersetzt; ein Lustspiel von ihm war die letzte Aufführung, die Schiller im Theater sah.

101 Marie Henriette Elisabeth von Arnim (1768–1847). Getuschter Schattenriß der Zeit. Schiller lernte das auffallend schöne Mädchen zu Beginn des Jahres 1787 auf einem Maskenball in Dresden kennen und wurde von heftiger Leidenschaft erfaßt. Körner und seine Frau verhinderten jedoch eine nähere Verbindung. Um ihn abzulenken, überredeten sie ihn zu einem Ausflug nach Tharandt und zu einem längeren Aufenthalt im dortigen Gasthof zum Hirsch.

102 Weimar, Gesamtansicht. Kolorierter Kupferstich von C. Müller nach einer Zeichnung von Georg Melchior Kraus. Am 20. VII. 1787 verließ Schiller Dresden, besuchte in Leipzig Göschen und reiste über Naumburg nach Weimar, wo er am Abend des 21. Juli eintraf. Charlotte von Kalb, die inzwischen nach Weimar gezogen war, hatte ihn mehrfach auf-

gefordert zu kommen; er wollte in Weimar neue Verbindungen anknüpfen, dachte jedoch zunächst nicht an eine dauernde Trennung von seinen sächsischen Freunden. Goethe war bei Schillers Ankunft in Italien, Herzog Carl August in Potsdam. Weimar war damals noch ein Landstädtchen mit 6000 Einwohnern.

103 Abendgesellschaft bei Anna Amalia. Stahlstich nach einer Tuschzeichnung von Georg Melchior Kraus. Anna Amalia (1739–1807), Prinzessin von Braunschweig und Nichte Friedrichs des Großen, hatte mit 19 Jahren nach erst zweijähriger Ehe ihren Mann verloren und bis 1775 für ihren Sohn Carl August die Regentschaft geführt. Sie nahm regen Anteil am künstlerischen und literarischen Leben der Zeit. Die Entwicklung Weimars zu einem Mittelpunkt des deutschen Geistes-

lebens ist mit ihr zu verdanken. In dem um sie (in der Bildmitte, dem Beschauer zugekehrt) versammelten Zirkel ist der Zweite von links, nur vom Rücken her sichtbar, der junge Goethe, der 1775 nach Weimar gekommen war; ganz rechts Herder. Zu den ständigen Besuchern des Tiefurter Sommersitzes gehörten außer Goethe und Herder auch Knebel, Musäus, Corona Schröter und andere. Es wurde musiziert, gezeichnet, vorgelesen und Theater gespielt.

Der

Deutsche Merkur.

Tu pias lætis animas reponis
Sedibus, virgaque levem coerces
Aurea turbam, superis Deorum
Gratus et imis.

Des ersten Bandes Erstes Stück.

Jenner 1773.

Weimar
Im Verlag der Gesellschaft.

104 ›Der Deutsche Merkur‹, Band 1, erstes Stück, »Jenner 1773«. Titelblatt der von Wieland herausgegebenen Zeitschrift. Einflußreiches Organ jener Zeit, in dem zu kulturellen und zeitgeschichtlichen Fragen Stellung genommen wurde.

105 Christoph Martin Wieland. Ölgemälde von Johann Fr. A. Tischbein, 1795. Zwischen Wieland und seinem jungen Landsmann, der ihn schon am 23. VII. 1787, am 2. Tag nach seinem Eintreffen in Weimar besuchte, entwickelte sich eine aufrichtige Freundschaft, die für Schiller durch seine Mitarbeit am ›Deutschen Merkur‹ zugleich wirtschaftlichen Nutzen brachte. »Unser erstes Zusammentreffen war wie eine vorausgesetzte Bekanntschaft. Ein Augenblick machte alles. Wir wollen langsam anfangen, sagte Wieland, wir wollen uns Zeit nehmen, einander etwas zu werden...«, schrieb Schiller an Körner am 24. VII. 1787.

106 Schillers erste Weimarer Wohnung am Frauenplan. Federzeichnung von O. Rasch. In dieser Wohnung, die ihm Charlotte von Kalb vermittelt hatte, wohnte Schiller in den Jahren 1787–1789. Während der ersten Weimarer Monate war Schiller fast täglich mit der Freundin zusammen. Sie führte ihn in die Gesellschaft des Hofes ein. Am 27. Juli stellte sie ihn in Tiefurt der Herzoginmutter Anna Amalia vor. Charlotte von Kalb, der die Liebe zu Jean Paul neue Verwirrung brachte, starb 1843 erblindet und verarmt in Berlin.

107 Johann Gottfried Herder (1744–1803). Kupferstich von L. Sichling nach einem Gemälde von Anton Graff. 1776 war Herder dem von Goethe veranlaßten Rufe als Generalsuperintendent nach Weimar gefolgt. In der Verbindung zu Goethe kam es jedoch 1795 zum offenen Bruch. Schiller kam bald nach seinem Eintreffen in Weimar mit Herder in Berührung, aber trotz fruchtbarer Gespräche in keine engere Verbindung. An Huber schrieb er am 14. IX. 1787: »Herder würde mir von allen der liebste seyn, wenn Herder aus sich heraustreten könnte um der Freund eines Freundes zu seyn. Beim ersten Anblicke und vollends bei einem warmen Gespräch ist er der liebenswürdigste Mensch unter dem Himmel.«

108 Schiller auf einem Esel. Nach einer mit Tusche lavierten Zeichnung von Johann Christian Reinhart, November/Dezember 1787.

109 Johann Christian Reinhart (1761–1847). Zeichnung von Vogel, Rom, 16. VIII. 1818. Reinhart war vom Studium der Theologie in Leipzig zur Malerei übergegangen und hatte 1785 Schiller in Leipzig kennengelernt. 1786–1789 lebte er in Meiningen, wo ihn Schiller im November 1787 wieder traf. 1789 ging er nach Rom, blieb aber in brieflicher Verbindung mit dem Dichter.

110 Wilhelm Friedrich Hermann Reinwald (1737–1815). Aquarellminiatur der Zeit (vergrößert). Nach juristischen, literarischen und sprachlichen Studien war Reinwald 1776 die Aufsicht über die herzogliche Bibliothek in Meiningen übertragen worden. Er erkannte Schillers Genie und war schon sein zuverlässiger Literaturberater in der Bauerbacher Zeit

111 Christophine Schiller (1757–1847) in jüngeren Jahren. Ölgemälde von Ludovike Simanowiz, undatiert. Die älteste Schwester Schillers hat ihren Mann um 32 Jahre überlebt. Bis in ihr hohes Alter von fast 90 Jahren behielt sie volle geistige Frische und körperliche Rüstigkeit.

112 Friedrich Schiller. Aquarellierte Zeichnung von Christophine Reinwald geb. Schiller, undatiert. Schillers Schwester, die ihre Malausbildung der ihr befreundeten Malerin Ludovike Simanowiz verdankt, gab gelegentlich auch Zeichenunterricht.

113 Wilhelm Friedrich Freiherr von Wolzogen (1762–1809). Aquarellminiatur der Zeit. Schillers Carlsschulfreund verkehrte viel im Hause von Lengefeld, dem er verwandtschaftlich verbunden war. Nach seiner Ernennung zum Leutnant wurde er zunächst mit der Aufsicht über die Bauten in Hohenheim betraut. 1788/89 war er im Auftrag des Herzogs Carl Eugen in Paris. Im Jahre 1797 trat er in weimarische Dienste über.

114 Caroline Freifrau von Beulwitz geb. von Lengefeld (1763–1847). Pastellbild von Ambron, undatiert. Die Schwester Charlottes hatte im Alter von 21 Jahren den Geheimen Legationsrat Friedrich von Beulwitz geehelicht. Nach ihrer Scheidung heiratete sie im Jahre 1794 ihren Vetter Wilhelm von Wolzogen. Sie hatte schriftstellerisches Talent; ihr Roman ›Agnes von Lilien‹, dessen erster Teil anonym in den ›Horen‹ erschien, wurde sogar Goethe zugeschrieben. 1830 gab sie ›Schillers Leben‹ heraus, ein Werk, dessen Reiz und Wert darin liegt, daß sie den größeren Teil dieses Lebens aus naher Kenntnis schildern konnte.

115 Luise von Lengefeld geb. von Wurmb (1743–1823). Mit Weiß gehöhte Kreidezeichnung der Zeit. Nachdem der Oberforstmeister Carl Christoph von Lengefeld, ihr um 28 Jahre älterer Mann, bereits 1776 gestorben war, lebte die Witwe ganz der Erziehung ihrer beiden Töchter Caroline und Charlotte. 1789 nahm sie die Stelle einer Oberhofmeisterin und Erzieherin der Töchter des Erbprinzen von Rudolstadt an.

116 Rudolstadt, Gesamtansicht. Kupferstich von Fr. Hablitschek nach einer Zeichnung von J. Rohbock. Am 8. XII. 1787 schrieb Schiller an Körner: »... eine Frau von Lengefeld lebt da mit einer verheirateten und einer noch ledigen Tochter. Beide Geschöpfe sind (ohne schön zu sein) anziehend und gefallen mir sehr.«

117 Charlotte Louise Antoinette von Lengefeld (1766–1826) als Braut. Miniatur der Zeit (vergrößert). Sie wurde später von Schiller als Berlocke an der Uhrkette getragen. Am 6. XII. 1787 hatte Schiller, von Wilhelm von Wolzogen nach Rudolstadt geführt, die Familie von Lengefeld kennengelernt. Eine flüchtige Begegnung hatte im Sommer 1784 in Mannheim stattgefunden. Ende Januar 1788 kommt Lotte zu den Redouten nach Weimar. Im Februar schreibt ihr Schiller ein erstes Billett. Ihre Rückkehr nach Rudolstadt am 6. April wird nur zu einer kurzen Trennung, denn bald folgt der Volkstedter Sommer. Nach dem Sommer in Volkstedt im November nach Weimar zurückgekehrt, steht Schillers Absicht fest, Charlotte von Lengefeld zu heiraten.

118 Schillers Wohnung in Volkstedt. Lithographie, 1859. Am 20. V. 1788 bezog Schiller die »sehr bequeme, heitere und reinliche Wohnung« beim Kantor Unbehaun, von den Schwestern Lengefeld auf seinen Wunsch besorgt, nur eine halbe Wegstunde von Rudolstadt entfernt. Die Fortsetzung des ›Geistersehers‹, den zweiten Teil seiner ›Niederländischen Rebellion‹, ein Theaterstück und einige Aufsätze für den ›Merkur‹ hatte sich Schiller auf sein Volkstedter Programm gesetzt. Er arbeitete angestrengt und konnte schon Anfang Juli ›Den Abfall der vereinigten Niederlande‹ beenden. Die Abende aber gehörten der Geselligkeit im Hause der Lengefelds, heiteren Gesprächen und gemeinsamer Lektüre .»In unserm Hause begann für Schillern ein neues Leben«, berichtet Caroline von Wolzogen. Im August zog er nach Rudolstadt und wohnte hier bis zum November.

119 Charlotte Schiller. Bleistiftzeichnung von Charlotte von Stein, 1791.

120 Johann Wolfgang von Goethe (1749–1832). Stahlstich von Karl Mayer nach einem Gemälde von Georg Oswald May, 1779. In den Rudolstädter Sommer fiel die erste, lang herbeigewünschte Begegnung mit Goethe, der am 18. Juli 1788 aus Italien zurückgekehrt war.

Geschichte des Abfalls
der
vereinigten Niederlande
von der
Spanischen Regierung.

Herausgegeben
von
Friedrich Schiller.

Erster Band.

Leipzig,
bey Siegfried Lebrecht Crusius.
1788.

Was heißt
und
zu welchem Ende studiert man
Universalgeschichte?

Eine Akademische Antrittsrede
bey
Eröfnung seiner Vorlesungen
gehalten
von
Friedrich Schiller,
Professor der Geschichte in Jena.

Jena,
in der Akademischen Buchhandlung.
1789.

121 Friedrich Schiller: ›Geschichte des Abfalls der vereinigten Niederlande von der Spanischen Regierung‹. Leipzig: Crusius 1788. Titelblatt des ersten Bandes der Erstausgabe. »... ich muß Ihnen gestehen, daß ich mich durch diese Schrift dem neuen Fach der Geschichte, dem ich mich angefangen habe zu bestimmen, beim Publikum etwas gut ankündigen möchte«, schrieb Schiller an Crusius, den Verleger seines ersten historischen Werkes. Die ersten Exemplare erschienen am 29. x. 1788. – Von 1790 an erschien außerdem, von Schiller herausgegeben, eine ›Allgemeine Sammlung Historischer Memoires ...‹ bei Mauke in Jena, eine Quellensammlung von insgesamt 33 Bänden (bis 1806), von denen nur die ersten Beiträge Schillers enthielten.

122 Friedrich Schiller: ›Was heißt und zu welchem Ende studiert man Universalgeschichte?‹ Jena: Akademische Buchhandlung 1789. Titelblatt des Drucks von Schillers Jenaer Universitäts-Antrittsrede. Seine ›Geschichte des Abfalls der vereinigten Niederlande‹ war für Chr. G. Voigt und Goethe der Anlaß, seine Berufung zum außerordentlichen Professor für Geschichte an die Universität Jena durchzusetzen. Am 26. v. 1789 hielt Schiller in überfülltem Saal diese Antrittsrede.

123 Die Schrammei in Jena. Farbige Zeichnung aus einem Studentenstammbuch, 1816. Im Hause der Jungfern Schramm, der sog. ›Schrammei‹, in der Jenaer Gasse, wohnte Schiller 1789–1793.

124 Das Griesbachsche Haus in Jena. Kupferstich von Ludwig Hess, um 1830. In diesem Hause fand Schillers Antrittsvorlesung statt. Er selbst schrieb darüber an Körner: »Grießbachs Auditorium ist das größte und kann, wenn es voll gedrängt ist zwischen 3 und 400 Menschen faßen ... Meine Vorlesung machte Eindruck. Den ganzen Abend hörte man in der Stadt davon reden und mir wiederfuhr eine Aufmerksamkeit

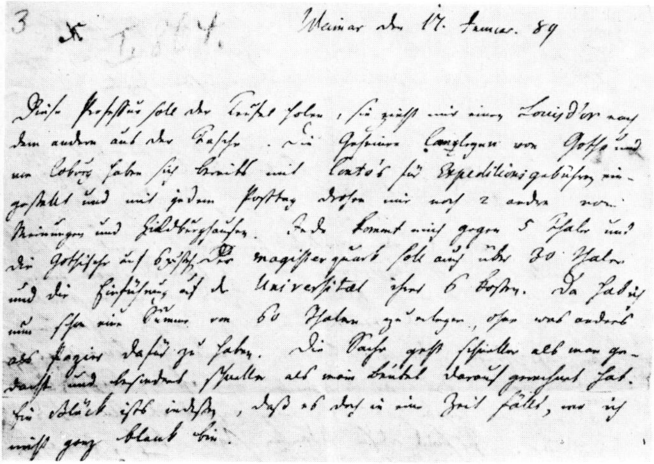

3 … Weimar den 17. Jenner. 89

Diese Professur soll der Teufel holen, sie zieht mir einen Louisd'or nach dem andern aus der Tasche. Die Geheimen Canzleyen von Gotha und von Coburg haben sich bereits mit Conto's für Expeditionsgebühren eingestellt und mit jedem Posttag drohen mir noch 2 andre von Meiningen und Hildburghausen. Jede kommt mich gegen 5 Thaler und die Gothische auf 6. Das Magisterquart soll auch über 30 Thaler und die Einführung auf d. Universität über 6 kosten. Da hab ich schon eine Summe von 60 Thalern zu erlegen, ohne was anders als Logis dafür zu haben. Die Sache geht schneller als man gedacht und besonders schneller als mein Beutel darauf gerechnet hat. Ein Glück ists indessen, daß es doch in eine Zeit fällt, wo ich nicht ganz blank bin.

von den Studenten, die bey einem neuen Professor das erste Beispiel war. Ich bekam eine Nachtmusik und Vivat wurde 3mal gerufen.«

125 Schiller: Brief an Körner, 17. 1. 1789 (Ausschnitt). »Diese Professur soll der Teufel holen, sie zieht mir einen Louisd'or nach dem andern aus der Tasche…«

126 Kirche in Wenigenjena. Aquarell von G. Tägebart, 1792. In dieser Kirche wurde Schiller mit Charlotte von Lengefeld am 22. II. 1790 von dem kantischen Theologen Adjunkt Carl Christian Schmid getraut. Nur die Mutter und die Schwester der Braut nahmen an der Feier teil.

127 Friedrich Schiller. Elfenbeinminiatur der Zeit. Diese Miniatur wurde von Charlotte Schiller als Brosche getragen. 128 Carl Theodor Anton Maria Freiherr von Dalberg (1744 bis 1817). Hinterglasminiatur der Zeit. Der Bruder des Mannheimer Intendanten wurde 1772 Statthalter des Kurfürsten von Mainz in Erfurt, 1787 Koadjutor, 1802 Kurfürst von Mainz, 1806 Fürstprimas des Rheinbunds, 1810 Großherzog von Frankfurt a. M. und nach seiner Abdankung 1813 Erzbischof von Regensburg. Seit 1789 stand er mit Schiller in dauernder Beziehung und schenkte dem Brautpaar zur Hochzeit ein von ihm selbst gemaltes Bild. Später bekundete er sein Wohlwollen für Schiller durch erhebliche Geldzuwendungen

129 Christoph Gottfried Schütz (1747–1832). Scherenschnitt der Zeit. Nach dem Studium der Theologie und der alten Sprachen war Schütz seit 1779 Professor in Jena. Seine Haupttätigkeit war die Leitung der ›Allgemeinen Litteratur-Zeitung‹, die er von deren erstem Erscheinen im Jahre 1785 ununterbrochen führte. Durch diese Tätigkeit wurde sein Haus zu einem Mittelpunkt des geistigen Lebens in Jena. Schiller stand mit ihm dauernd in regen Beziehungen. Am 30. V. 1789 schrieb er an Lotte und Caroline: »... mit dem Schützischen und Rheinholdischen Hause lebe ich noch in den Flitterwochen und lasse mir schöne Dinge sagen. Einige unter den Profeßoren intereßiren mich, und ich denke gut und leicht mit ihnen zu leben.«

130 Friedrich Immanuel Niethammer (1766–1848). Getuschte Silhouette der Zeit. Nach dem Studium der Theologie im Tübinger Stift wurde Niethammer 1793 unbesoldeter Professor in Jena. Schiller nahm sich seines jungen Landsmannes, der seit Ende 1791 zu seinem Kreis in der Schrammei gehörte, an und übertrug ihm manche literarischen Hilfsarbeiten, Übersetzungen und herausgeberische Aufgaben. 1804 folgte Niethammer einem Ruf nach Würzburg, später bekleidete er hohe Ämter in Schule und Kirche in München.

131 Heinrich Eberhard Gottlob Paulus (1761–1851). Scherenschnitt der Zeit. Auch Paulus hatte in Tübingen Theologie studiert, wurde 1789 Professor in Jena, 1803 in Würzburg, 1811 in Heidelberg. Er und seine musikalisch und literarisch begabte Frau gehörten zu Schillers engstem Umgang in Jena.

132 Alte Akademiegebäude in Jena. Kupferstich von C. E. Buchta. Am 26. x. 1789 begann Schiller mit einer fünfstündigen Vorlesung über ›Universalgeschichte von der fränkischen Monarchie bis Friedrich II.‹. Außerdem las er einstündig über die ›Geschichte der Römer‹.

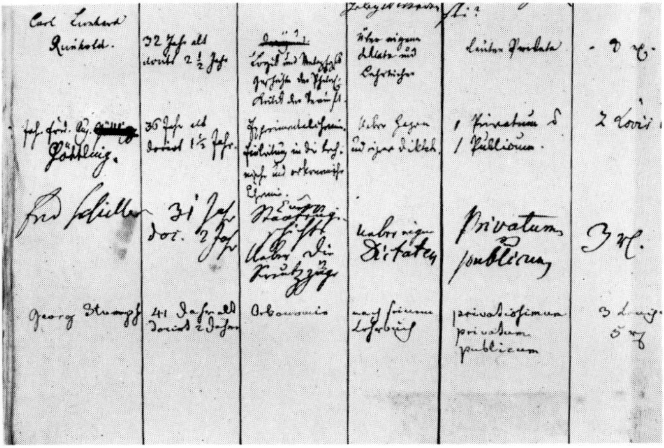

133 ›Tabula der Professorum Extraordinariorum auf der Universitaet. Jena Michaeli 1790‹ (Ausschnitt). Dozentenliste mit Schillers eigenhändigen Eintragungen (auch die weiteren Spalten):

»1. Die Nahmen der Dozenten: Frid Schiller

2. Wie lange er docire und wie alt er sei?: 31 Jahr/doc. 2 Jahr

3. Die Collegia so würcklich lieset?: Europäische Staatengeschichte / Ueber die Kreutzzüge

4. Die Bücher worüber die Vorlesungen angestellt…?: Über eigne Dictaten

5. Die Qualitaet der Collegii…?: Privatum u publicum

6. Was jeder Zuhörer loco hon[or]arii zu geben habe?: 3 rh

7. Wie viel sich aufgeschrieben haben?: 20

8. Die Stunden welche Wöchentlich zu dieser Arbeit bestimmt sind: 4–5 / 5–6

9. Die Stundenzahl auf die ganze Woche, welche seine Vorlesungen zusammen betragen: 5 Stunden / 1 Stunde

10. wann ein jedes Collegium seinen Anfang genommen?:

11. Ob er mehr Vorlesungen halten wollen: –«

Historischer
CALENDER
für
Damen
für das Jahr 1791
von
Friedrich Schiller
Leipzig
bey G. J. Göschen.

134 Schiller: ›Historischer Kalender für Damen‹. Leipzig: G. J. Göschen 1791. Titelblatt. In den Jahrgängen 1791–1793 dieses Damenkalenders erschien Schillers ›Geschichte des Dreyßigjährigen Kriegs‹ zuerst. Der Kalender wurde in 7000 Exemplaren gedruckt und erschien 1790. Zum zweiten Teil schrieb

Alles unser Wissen ist ein Darlehn der Welt und der Vorwelt. Der thätige Mensch trägt es an die Mitwelt und Nachwelt ab; der unthätige stirbt mit einer unbezahlten Schuld. Jeder, der etwas gutes wirkt, hat für die Ewigkeit gearbeitet.

Jena den 22. Sept. 90

F. Schiller

Wieland eine Vorrede, in der es heißt: »Selten ist in Deutschland eine Schrift mit lebhafterem und allgemeinerem Beyfall gelesen worden, als die erste Hälfte der Geschichte des dreyssigjährigen Krieges, womit Herr Hofrath Schiller dem Historischen Kalender für Damen 1791 einen Werth gegeben hat, dessen wohl noch kein anderes Taschenbuch dieser Art sich rühmen konnte.«

135 Schiller: Ein Stammbuchblatt für einen Unbekannten, 22. IX. 1790

136 Christoph Wilhelm Hufeland (1762–1836). Kupferstich von Krüger. Der Verfasser der viel gelesenen ›Makrobiotik‹ war Hofmedikus in Weimar, als Schiller mit ihm bekannt wurde. 1793 ging er als Professor nach Jena, 1801 als Direktor des Medizinischen Kollegiums nach Berlin, wo er auch Leibarzt des Königs und der Königin wurde. Schiller besuchte ihn 1804 während seines Aufenthaltes in Berlin.

137 Wilhelm Freiherr von Humboldt (1767–1835). Relief von Martin Gottlieb Klauer, undatiert. Humboldt, seit 1789 mit Schiller bekannt, war als Gelehrter und Staatsmann eine der größten Persönlichkeiten seiner Zeit. Seine Braut Caroline von Dacheröden war mit den Schwestern Lengefeld nahe befreundet. Während Humboldts längerem Aufenthalt in Jena (1794) und dann wieder im Winter 1796/97 entfaltete sich zwischen Schiller und ihm eine herzliche, für beide fruchtbare Freundschaft. Schiller sah in ihm den idealen Gesprächspartner. »Er weckt jede schlummernde Idee, nötigt einen zur schärfsten Bestimmtheit, verwahrt dabei vor der Einseitigkeit und vergilt jede Mühe, die man anwendet, um sich deutlich zu machen, durch die seltene Geschicklichkeit, die Gedanken des andern aufzufassen und zu prüfen. – Es ist eine Totalität in seinem Wesen, die man äußerst selten sieht.« Auch in späteren Jahren blieb die enge geistige Verbundenheit mit Schiller erhalten. 1830 veröffentlichte Humboldt seinen Briefwechsel mit Schiller und zeichnete in der ›Vorerinnerung‹ dazu in großartiger Weise Schillers Geistesart und Geistesentwicklung.

Schillers Tod.

Die Universität Jena; aber nicht Jena allein, ganz Deutschland hat eins seiner Genies verloren. Schiller ist gestorben, ein Mann, dessen Geist schnell brausend sich erhob, sich ganz aus sich selbst entwickelte, weit und kraftvoll um sich her wirkte. Er entlehnte keine Regel, nach der er sich modelte, keine fremde Form, um sich drein zu bilden, den Ausbrüchen seines Genies Gränzen oder Richtung zu geben. Er war ganz er selbst! Seine Stärke war Enthusiasmus, der zum Enthusiasmus mit sich fortriß, wie ein Strom, der seine Dämme durchbrochen hat.

138 Nachricht über Schillers angeblichen Tod (in: Fragmente über verschiedene Gegenstände der neuesten Geschichte, Band 2, 1791, Heft 6). Eine schwere Erkrankung Schillers ließ das Gerücht von seinem Tod aufkommen. Es verbreitete sich am 12. V. 1791 in Erfurt, und am 8. Juni meldete die ›Oberdeutsche Allgemeine Litteraturzeitung‹ seinen Tod. Diese Nachricht wurde vielfach nachgedruckt.

139 Friedrich Schiller um 1791. Ölporträt der Zeit. Am 3.1. 1791, nach einer feierlichen Sitzung der ›Kurfürstlichen Akademie nützlicher Wissenschaften‹, in die Schiller als Mitglied aufgenommen wurde, befiehl ihn ein heftiges Katarrhfieber, und er erkrankte an trockener Rippenfellentzündung und Lungenentzündung. In den darauffolgenden Monaten wurde er von mehreren schweren Krankheiten niedergeworfen, von denen er sich nur langsam erholte. Die Schmerzen wollten nicht weichen, neue krampfartige, überaus qualvolle Erstickungsanfälle stellten sich ein. Im Mai schreibt er an Göschen von erneuten furchtbaren Anfällen, die so schwer seien, »daß ich von all den meinigen schon Abschied nahm und jeden Augenblick hinzusinken glaubte«.

140 Jens Immanuel Baggesen (1764–1826). Lithographie von E. Lehmann. Schiller war im August 1790 durch den Kantianer Reinhold mit dem dänischen Schriftsteller bekannt geworden. Als sich Ende Juni 1791 auch in Kopenhagen die falsche Nachricht von Schillers Tod verbreitete, wurde eine Feier zu Ehren des Dichters am Ostseestrand in Hellebek zu einer Trauerfeier, bei der Baggesen die Trauerrede hielt. Von Reinhold erfuhr er, daß Schiller nicht gestorben, aber schwer erkrankt sei, die dringend notwendige Erholung und Schonung sich aber seiner schwierigen finanziellen Lage wegen nicht gönnen könne. Daraufhin wandte sich Baggesen an den dänischen Hof und wurde zu Schillers Fürsprecher.

141 Ernst Heinrich Graf von Schimmelmann (1747–1831). Ölgemälde der Zeit. Als dänischer Finanzminister, zuletzt Minister des Auswärtigen erwarb sich Graf Schimmelmann große Verdienste um die Förderung von Kunst und Wissenschaften. Auf Anregung Baggesens bot er gemeinsam mit dem Erbprinzen Friedrich Christian von Schleswig-Holstein-Sonderburg-Augustenburg am 27. XI. 1791 Schiller für drei Jahre eine Pension von 1000 Talern an.

142 Friedrich Christian Herzog von Schleswig-Holstein-Sonderburg-Augustenburg (1765–1814). Kupferstich von Gerhard Ludwig Lahde nach einem Gemälde von Anton Graff, 1791. Durch Baggesen, der ihm den ›Don Carlos‹ vorgelesen hatte, war der Prinz zu einem Verehrer Schillers geworden. Ihm ist die großzügige Unterstützung zu danken, die Schiller zum erstenmal in seinem Leben äußere Unabhängigkeit und freie Schaffensmöglichkeit schenkte.

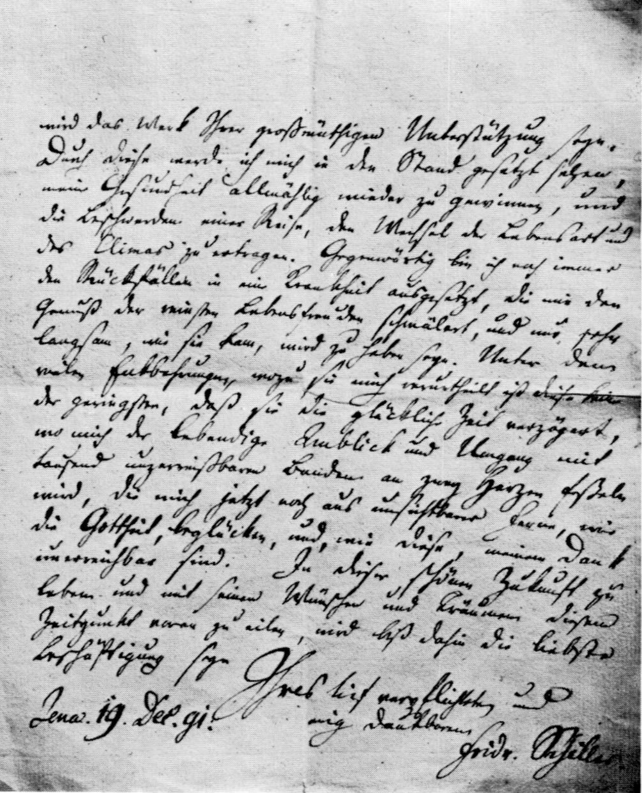

wird das Werk Ihrer großmüthigen Unterstützung seyn.
Durch diese werde ich mich in den Stand gesetzt sehen,
meine Gesundheit allmählig wieder zu gewinnen, und
die Beschwerden einer Reise, den Wechsel der Lebensart und
des Climas zu ertragen. Gegenwärtig bin ich noch immer
den Rückfällen in eine Krankheit ausgesetzt, die mir den
Genuß der meisten Lebensfreuden schmälert, und nur, so
langsam, wie sie kam, wird zu heben seyn. Unter denen
vielen Entbehrungen, wozu sie mich verurtheilt ist diese keine
der geringsten, daß sie die glückliche Zeit verzögert,
wo mich der lebendige Anblick und Umgang mit
tausend unzerreißbaren Banden an zwey Herzen fesseln
wird, die mich jetzt noch aus unsichtbarer Ferne, wie
die Gottheit, beglücken, und, wie diese, meinem Dank
unerreichbar sind. In dieser schönen Zukunft zu
leben und mit seinen Wünschen und Träumen diesem
Zeitpunkt voran zu eilen, wird bis dahin die liebste
Beschäftigung seyn

Ihres tief verpflichteter und
ewig dankbarer

Jena. 19. Dec. 91.

Fridr. Schiller

143 Schiller: Brief an Herzog Friedrich Christian und Schimmelmann. Jena. 19.XII.1791 (Schluß). Zuvor heißt es: »Zu einer Zeit, wo die Ueberreste einer angreifenden Krankheit meine Seele umwölkten und mich mit einer finstern traurigen Zukunft schreckten, reichen Sie mir wie zwey schützende Genien, die Hand aus den Wolken. Das großmüthige Anerbieten, das Sie mir thun, erfüllt ja übertrifft meine kühnsten Wünsche. Die Art mit der Sie es thun, befreyt mich von der Furcht, mich Ihrer Güte unwerth zu zeigen, indem ich diesen Beweis davon annehme. ... Rein und edel, wie sie *geben*, glaube ich, *empfangen* zu können ...«

144 Immanuel Kant (1724–1804). Kupferstich von Karl Barth nach einer Zeichnung von Stobbe. Angeregt vor allem durch Wielands Schwiegersohn, den Jenaer Philosophieprofessor Carl Leonhard Reinhold (1758–1825), beschäftigte sich Schiller vom Frühjahr 1791 an mit Kant, besonders mit dessen ›Kritik der Urteilskraft‹. Im Brief vom 13. VII. 1794 lud er ihn zur Mitarbeit an den ›Horen‹ ein. ›Anmut und Würde‹ bezeichnete Kant als »mit Meisterhand« verfaßt. An Goethe schrieb Schiller am 28. X. 1794: »Eine solche Philosophie will nicht mit bloßem Kopfschütteln abgefertigt sein. Im offenen, hellen und zugänglichen Feld der Untersuchung erbaut sie ihr System, sucht nie den Schatten und reserviert dem Privatgefühl nichts; aber so, wie sie ihre Nachbarn behandelt, will sie wieder behandelt sein, und es ist ihr zu verzeihen, wenn sie nichts als Beweisgründe achtet ...«

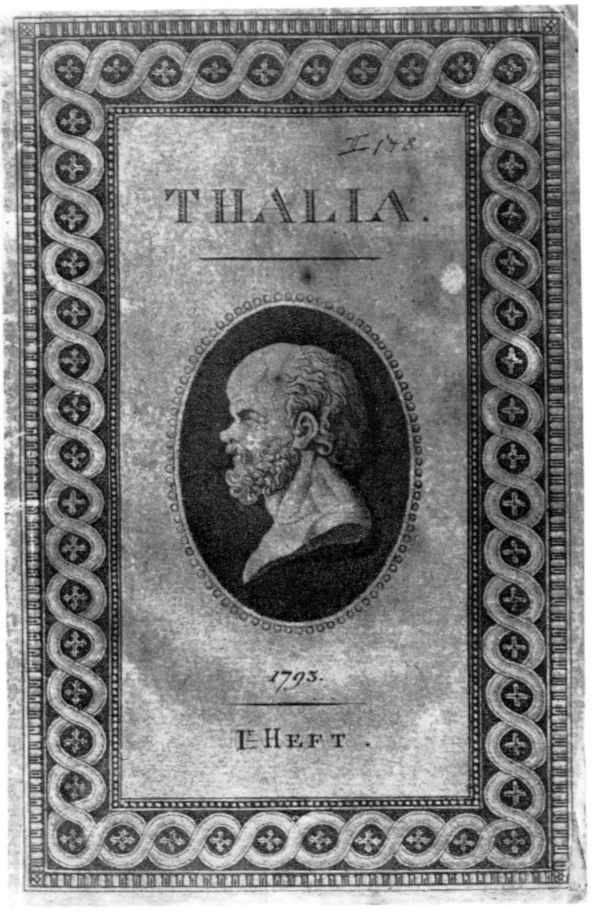

145 ›Thalia‹, 1793, Heft 1. Umschlag der Zeitschrift. Schillers Zeitschrift ›Thalia‹, die aus der ›Rheinischen Thalia‹ hervorgegangen und von Göschen übernommen worden war, erschien von 1786–1791, von 1792–1794 als ›Neue Thalia‹. In ihr sind die Erstdrucke von ›Der Verbrecher aus Infamie‹, später ›...verlorener Ehre‹, ›Der Geisterseher‹ und ›Über Anmut und Würde‹ enthalten.

146 Karlsbad. Gesamtansicht. Stahlstich der Zeit. Auf Rat seines Arztes Dr. Stark entschloß sich Schiller zu einer Kur und weilte mit seiner Frau und Caroline von Beulwitz vom 10. Juli bis Anfang August 1791 in Karlsbad. Der Aufenthalt war angenehm und erholsam. Bei einem Ausflug nach Eger besichtigte Schiller das Rathaus und das Haus, wo Wallenstein ermordet worden war.

Paris, le 10 Octobre 1792., l'an 1er de la République françoise.

J'ai l'honneur de Vous adresser ci joint, Monsieur un imprimé revêtu du Sceau de l'Etat, de la Loi du 26. Août dernier, qui confère le titre de Citoyens françois à plusieurs Etrangers. Vous y lirez, que la Nation vous a placé au nombre des amis de l'humanité et de la Société, auxquels Elle a déféré ce titre.

L'Assemblée nationale par un Décret du 9. Septembre, a chargé le Pouvoir exécutif de Vous adresser cette Loi; j'y obéis, en Vous priant d'être convaincu de la satisfaction que j'éprouve d'être, dans cette circonstance, le Ministre de la Nation, et de pouvoir joindre mes sentimens particuliers à ceux que Vous témoigne un grand Peuple dans l'enthousiasme des premiers jours de sa liberté.

Je Vous prie de m'accuser la réception de ma Lettre, afin que la Nation soit assurée que la Loi vous est parvenue, et que Vous comptez également les François parmi vos frères.

Le Ministre de l'Interieur
de la Republique Françoise
Roland

M. Gille Publiciste allemand

Praemissum

147 Urkunde der Ernennung Schillers zum Bürger in Frankreich, Paris, 10. X. 1792 (amtliche Abschrift). Als Dichter der ›Räuber‹ war Schiller im revolutionären Frankreich populär geworden. Auf Antrag eines elsässischen Abgeordneten verlieh ihm daher die Nationalversammlung zusammen mit Klopstock, Campe und anderen den Titel eines ›citoyen français‹. Das Dokument erhielt Schiller erst am 1. III. 1798 durch Johann Heinrich Campe.

ÜBER

ANMUTH UND WÜRDE.

AN

CARL VON DALBERG

IN ERFURTH.

Was du hier siehest, edler Geist, bist du selbst.

Milton.

LEIPZIG,

BEY G. J. GÖSCHEN, 1793.

148 Titelblatt der philosophisch-ästhetischen Abhandlung Schillers mit Widmung an den befreundeten Koadjutor (endgültige, vom Erstdruck in der ›Thalia‹ abweichende Fassung). Aus den Dankesbriefen an Herzog Friedrich Christian entstand dann seine andere Untersuchung ›Über die ästhetische Erziehung des Menschen in einer Reihe von Briefen‹, die im ersten ›Horen‹-Band 1795 erschien.

149 Heilbronn am Neckar, Marktplatz und Rathaus. Koloriertes Aquatintablatt, um 1790. Am 1. VIII. 1793 fuhr Schiller mit seiner Frau in die schwäbische Heimat. Nach einer »zwar beschwerlichen, aber von allen üblen Zufällen freien Reise« traf er am 8. August in der Freien Reichsstadt Heilbronn ein. Die Angehörigen kamen sofort zu Besuch. An Körner schrieb Schiller am 27. August: »Die Meinigen fand ich wohl auf, und wie Du denken kannst, sehr vergnügt über unsre Wiedervereinigung. Mein Vater ist in seinem 70gsten Jahr das Bild eines gesunden Alters, und wer sein Alter nicht weiß, wird ihm nicht 60 Jahre geben. Er ist in ewiger Thätigkeit und diese ist es was ihn gesund und jugendlich erhält. Meine Mutter ist auch von ihren Zufällen frey geblieben und wird wahrscheinlich ein hohes Alter erreichen. Meine jüngste Schwester [Nanette] ist ein hübsches Mädchen geworden und zeigt viel Talent. Die zweyte Schwester [Luise] versteht die Wirthschaft sehr gut, und führt jetzt in Heilbronn meine Oeconomie...« Schiller blieb bis Anfang September in Heilbronn.

150 Ludwigsburg, Marktplatz mit Brunnen und Blick auf das Rathaus. Holzstich der Zeit. In der zweiten Hälfte des August 1793 machte Schiller einen Besuch in Ludwigsburg und bei seinen Eltern auf der Solitude, ohne beim Herzog anzufragen. Eine schriftliche Bitte an ihn, nach Ludwigsburg übersiedeln zu dürfen, blieb wegen seiner Abwesenheit unbeantwortet. Öffentlich aber erklärte er, er werde Schiller ignorieren. So zog dieser mit Frau, Schwägerin und Schwester Luise um. Sie wohnten in der Wilhelmstraße 17 bis zum März 1794.

151 Friedrich Wilhelm von Hoven (1759–1838). Miniaturbildnis der Zeit. Der einstige Schulfreund Schillers hatte sich als praktischer Arzt in Ludwigsburg niedergelassen. Während seines dortigen Aufenthalts war Schiller fast täglich mit ihm zusammen. Hoven betreute ihn ärztlich und stand seiner Frau als Geburtshelfer bei. An Körner schreibt er in dieser Zeit: »... mit ihm habe ich von meinem 13. Jahr bis fast zum 21. alle Epochen des Geistes gemeinschaftlich durchwandert. Zusammen dichteten wir, trieben wir Medizin und Philosophie ...«

152 Das Haus Leiss, in dem Schiller in Ludwigsburg wohnte. Lithographie, 1859. Schräg gegenüber war die alte Lateinschule, die Schiller selbst einst besucht hatte. Nach von Gustav Schwab gesammelten mündlichen Berichten von Zeitgenossen, besuchte Schiller seinen einstigen Lehrer Präzeptor Jahn und übernahm mehrmals auch eine Lehrstunde im gewöhnlichen Schulzimmer. »... vierzehnjährige Knaben sahen den Dichter des Don Carlos vor und neben sich im Schulstaub auf der Bank sitzen, den Kopf auf die Hand gestützt und ein Bein übers andre geschlagen. Da lehrte er bald Logik und Rhetorik, bald Geschichte...«

153 Johann Caspar Schiller. Ölgemälde von Ludovike Simanowiz, 1793. Gemalt zum Geburtstag Schillers. Von Ludwigsburg aus schrieb er darüber an seinen Vater am 8. XI. 1793: »Für Ihr, mir so werthes Bildniß danke ich Ihnen tausendmal liebster Vater. So froh ich indeß bin, daß ich dieß Andenken von Ihnen habe, so viel froher bin ich doch, daß die Vorsehung mir vergönnt hat, Sie Selbst zu haben und in Ihrer Nähe zu leben. Wir müssen aber diese Zeit etwas beßer nützen, und keine so lange Pausen machen ehe wir wieder zusammen kommen...« – Während dieser Zeit wird Vater Schiller zum Obristwachtmeister befördert. Keiner konnte ahnen, daß er schon am 7. IX. 1796, wenige Monate nach der Tochter Nanette, sterben würde.

154 Elisabetha Dorothea Schiller. Ölgemälde von Ludovike Simanowiz, 1793. Auch das Bild der Mutter wurde für Schiller gemalt und ihm noch vor seiner Abreise aus Schwaben gesandt.

155 Trauergottesdienst mit Trauergerüst in Ludwigsburg für den verstorbenen Herzog Carl Eugen. Lavierte Federzeichnung von Reinhard Friedrich Heinrich Fischer (?), 20. II. 1794. (Vorlage für den Stich von d'Argent). Am 24. X. 1793 starb Herzog Carl Eugen in Hohenheim. In der folgenden Nacht wurde sein Sarg nach Ludwigsburg überführt. Schiller erlebte als Augenzeuge den nächtlichen Zug. Wahrscheinlich hat er auch an der Trauerfeier in der Schloßkapelle teilgenommen. Hoven überliefert in seiner Autobiographie Schillers Äußerung: »Da ruht er also …, dieser rastlos tätig gewesene Mann! Er hatte große Fehler als Regent, größere als Mensch; aber die ersten wurden von seinen großen Eigenschaften weit überwogen, und das Andenken an die letzten muß mit dem Toten begraben werden, darum sage ich dir, wenn du, da er nun dort liegt, jetzt noch nachtheilig von ihm sprechen hörst, traue diesem Menschen nicht, er ist kein guter, wenigstens kein edler Mensch.«

156 Johann Christoph Friedrich Haug (1761–1829). Ölbild der Zeit. Der Sohn des Theologen und Carlsschulprofessors Balthasar Haug und Mitschüler Schillers in der Ludwigsburger Lateinschule und der Carlsschule vermittelte bei Schillers Besuch in der Heimat dessen Verbindung mit Cotta. Gedichte von ihm erschienen in Schillers Musenalmanachen. Er war später Redakteur am Cottaschen ›Morgenblatt‹, gilt als Hauptvertreter des schwäbischen Klassizismus und wurde vor allem bekannt durch seine Epigramme.

157 Carl Philipp Conz (1762–1827). Aquarellminiatur, um 1800. Auch mit dem Jugendfreund aus der Lorcher Zeit, der als Pfarrhelfer in Stuttgart tätig war, traf Schiller während seines württembergischen Aufenthaltes zusammen. Conz ist in Schillers ›Neuer Thalia‹ 1792 und in den Musenalmanachen von 1796–1799 mit dichterischen Beiträgen vertreten. Als Dichter gehört er der klassizistischen Richtung an. 1804 wurde er, nachdem er bis dahin Pfarrämter versehen hatte, Professor der Literatur in Tübingen, förderte Justinus Kerner und gewann Einfluß auf Uhland und die schwäbischen Romantiker. Seine Erinnerungen sind eine wertvolle Quelle für Schillers Lebensgeschichte.

158 Charlotte Schiller. Ölgemälde von Ludovike Simanowiz, 1794. Von Schillers Gattin malte Ludovike Simanowiz während des Aufenthalts in Württemberg zwei Porträts. Die Abbildung zeigt die zweite, endgültige Fassung.

159 Friedrich Schiller. Pastellbildnis von Ludovike Simanowiz, Spätherbst 1793. Dieses Porträt bildet die Vorstudie des im folgenden Winter entstandenen großen Ölgemäldes. Schiller schenkte das Bild bei seinem Umzug von Jena nach Weimar seinem Freund und Hausgenossen Griesbach als Andenken. Hoven schildert Schiller in dieser Zeit: »... sein jugendliches Feuer war gemildert, er hatte weit mehr Anstand in seinem Betragen, an die Stelle seiner vormaligen Nachlässigkeit in seinem Anzug war eine anständige Eleganz getreten, und seine hagere Gestalt, sein blasses, kränkliches Aussehen vollendeten das Interesse seines Anblicks bei mir und Allen, die ihn vorher näher gekannt hatten ... er war ein vollendeter Mann geworden.«

160 Jakob Friedrich Abel (1751–1829). Getuschter Schattenriß der Zeit. Nach seiner Carlsschultätigkeit war Abel als Professor für Philosophie an die Universität Tübingen berufen worden. Mit Schiller war er in freundschaftlicher Verbindung geblieben. Dieser besuchte ihn. Vergeblich versuchte Abel dabei, den Dichter als Professor für Tübingen zu gewinnen.
161 Gottlob Heinrich Rapp (1761–1832). Ölgemälde von Philipp Friedrich Hetsch, undatiert. Durch Dannecker, den Schwager Rapps, lernte Schiller den vielseitig begabten Kaufmann kennen. Sein Haus bildete einen künstlerisch-gesellschaftlichen Mittelpunkt in Stuttgart. Schiller besprach Rapps Aufsatz über Gartenkunst und die Gartenanlagen Carl Eugens in Hohenheim in der ›Allgemeinen Litteratur-Zeitung‹ vom 11.x.1794 und vermittelte die Beziehung zu Goethe. Im Hause Rapps las Goethe während seines Stuttgarter Aufenthalts 1797 ›Hermann und Dorothea‹.

162 Ludovike Simanowiz geb. Reichenbach (1759–1827). Selbstbildnis. Miniaturporträt in Öl, undatiert. Die talentierte Malerin war eine Tochter des württembergischen Regimentsfeldschers J. F. Reichenbach, mit dessen Familie die Familie Schiller in der ersten Ludwigsburger Zeit zusammen wohnte. Ihre erste künstlerische Ausbildung erhielt sie durch Nicolas Guibal, dann setzte sie ihre Studien in Paris bei Antoine Vestier fort. Nach ihrer Verheiratung mit dem Leutnant Franz Simanowiz weilte sie 1791–1793 nochmals in Paris. Sie malte auch Porträts von Schillers Schwestern Christophine und Nanette.

163 Johann Heinrich Dannecker (1758–1841). Ölgemälde von Philipp Friedrich Hetsch, undatiert. Dannecker gehörte schon in der Carlsschule zum engeren Freundeskreis Schillers. Durch Studienreisen nach Paris und nach Rom, die ihm Herzog Carl Eugen durch Stipendien ermöglichte, wurde seine künstlerische Ausbildung wesentlich gefördert. Nach seiner Rückkehr wurde er Professor der Bildhauerei an der Carlsschule, 1829 Direktor der neugegründeten Kunstschule. Dannecker ist der Hauptvertreter des schwäbischen Klassizismus und schuf bedeutende Plastiken.

164 Friedrich Schiller. Büste von Johann Heinrich Dannecker. Erste Fassung in Gips mit den Punktierungen für die Übertragung in Marmor, 1794. Nach dem Eintreffen der Büste in Marmor schrieb Schiller am 5. x. 1794 aus Jena an Dannecker: »Die Büste ist glücklich und ohne den geringsten Fehler angelangt, und ich kann Dir nicht genug für die Freude danken, lieber Freund, die Du mir damit gemacht hast. Ganze Stunden könnte ich davor stehen, und würde immer wieder neue Schönheiten aus dieser Arbeit entdecken. Wer sie noch gesehen, der bekennt, daß ihm noch nichts so ausgeführtes, so vollendetes von Sculptur vorgekommen ist ...«

165 Stuttgart, Gesamtansicht um 1795. Federtuschzeichnung des Basler Malers Rudolf Huber. Während seines Stuttgarter Aufenthalts besuchte Schiller in Begleitung von Dannecker und Rapp auch das Schloß und den Park Hohenheim. Er besichtigte ferner die Blühersche Glockengießerei, in der er ebenso wie in einer Glockengießerei in Rudolstadt mit dem Verfahren des Glockengusses vertraut wurde, das er später in seinem ›Lied von der Glocke‹ schilderte. Die Carlsschule hatte er schon bald nach Carl Eugens Tod aufgesucht und war dort von den Eleven begeistert begrüßt worden.

166 Friedrich Schiller. Reliefporträt in Gips von Bernhard Frank, 1794. Frank war ein Schüler Danneckers.

167 Schiller in Stuttgart. Scherenschnitt von Luise Duttenhofer, 1794. Von Mitte März bis 6. Mai 1794 wohnte die Familie Schiller in Stuttgart im sog. Hofküchengartenhaus, Augustenstraße 9. Die Künstlerin, die dem Hause Rapp nahestand, pflegte die Stuttgarter Honoratioren mit gewandter Schere in ihrer ›Schwarzkunst‹ festzuhalten. Auch Schiller – wie 1797 im Hause Rapp Goethe – ist ihr nicht entgangen.

Contract über die litterarische Monatsschrift. die Horen betitelt, welches unter der Aufsicht des Hofr. Schillers erscheinen solle.

1. Jeden Monat erscheint ein Stük von 8 Bogen Median mit deutscher Schrift, die Seite zu 30 Zeilen.

2. Alle darinn enthaltenen Aufsäze müssen entweder historischen oder philosophischen oder aesthetischen Inhalts seyn, und auch von dem Nichtgelehrten verstanden werden können.

3. Der Redakteur hat dafür zu sorgen, daß jedes Stük etwas aus jedem dieser 3 Fächer enthalte.

4. Ein engerer Ausschuß von 5 Mitgliedern beurtheilt die eingesandten Stücke, und die Majorität entscheidet über die Würdigkeit zur Aufnahme.

5. Weder Ausschuß noch der Redakteur dürfen in den eingesandten Stücken Aenderungen treffen, sondern müssen sie jederzeit an die Verfasser zurücksenden, wenn etwas daran der Verbesserung nöthig hat.

6. Das niedrigste Honorar ist 3 Ldor, das höchste 8 Ldor, der Mittelpreiß ist 5 Ldor. Ueber den Preiß entscheidet die Majorität des Ausschusses, wo er nicht schon durch den besondern Contract des Einsenders bestimmt ist.

7. Die Mitglieder sind entweder beständige oder Honorarii. Der beständigen dürfen nicht unter der Anzahl von 12 seyn. Von den ersten erhält jeder 3 von den andern jeder 1 Exemplar der Monatsschrift gratis.

169 Johann Friedrich Cotta (1764–1832). Lithographie der Zeit. Cotta, von 1822 an Freiherr Cotta von Cottendorf, hatte nach dem Studium der Mathematik und der Rechtswissenschaften 1787 die Buchhandlung seines Vaters in Tübingen übernommen. Auf Ausdehnung seines Verlags bedacht, versuchte er, Schiller für die Redaktion einer geplanten politischen Zeitung großen Stils zu gewinnen. Schiller seinerseits suchte einen Verleger für eine literarisch-philosophische Zeitschrift. Am 4. v. 1794, zwei Tage vor Schillers Rückreise nach Jena, besprachen sie auf einem Ausflug von Stuttgart nach Untertürkheim die gemeinsamen Pläne.

168 Schiller: Verlagskontrakt mit Cotta über die ›Horen‹. Handschrift des Dichters, 28. v. 1794. Nach seiner Rückkehr nach Jena wurden die Verhandlungen über den Plan der ›Horen‹ fortgesetzt und in diesem Vertrag die einzelnen Bedingungen formuliert. Eine gedruckte Ankündigung der Zeitschrift wurde Mitte Juni versandt und allen bedeutenden Zeitgenossen zugeleitet zugleich mit der Aufforderung, an der Zeitschrift mitzuarbeiten. Durch die ›Horen‹ begann die Zusammenarbeit mit Cotta, der von nun an der Verleger von fast allen Werken Schillers wurde.

170 Schiller: Brief an Cotta, 9. III. 1795: »Hölderlin hat einen kleinen Roman ›Hyperion‹, davon in dem vorletzten Stück der Thalia etwas eingerückt ist, unter der Feder. Der erste Theil der etwa 12 Bogen betragen wird, wird in einigen Monaten fertig. Es wäre mir gar lieb, wenn Sie ihn in Verlag nehmen wollten. Er hat recht viel Genialisches und ich hoffe auch noch einigen Einfluß darauf zu haben...« Gedichte Hölderlins veröffentlichte Schiller in der ›Neuen Thalia‹, in den ›Horen‹ und in den Musenalmanachen.

171 Johann Christian Friedrich Hölderlin (1770–1843). Pastellbild des einstigen Carlsschülers Franz Karl Hiemer, 1792 gemalt zur Hochzeit von Hölderlins Schwester Heinrike. Der junge Hölderlin war ein glühender Verehrer des »großen genialischen Dichters«. Ende September 1793 lernte Schiller Hölderlin in Ludwigsburg kennen und vermittelte ihm eine Hofmeisterstelle bei Charlotte von Kalb in Waltershausen bei Meiningen, die Hölderlin in die Nähe Schillers führte. »... einen jungen Mann habe ich ausgefunden, der eben jetzt seine theologischen Studien in Tübingen vollendet hat ... Er heißt Hölderlin und ist Magister der Philosophie. Ich habe ihn persönlich kennenlernen und glaube, daß Ihnen sein Äußeres sehr gefallen wird. Auch zeigt er vielen Anstand und Artigkeit...« Hölderlins pädagogische Versuche als Hofmeister endeten mit einem Fiasko, da er die trotzige Natur des Knaben nicht meistern konnte. Er siedelte nach Jena über, wo er in der »Nähe der wahrhaft großen Geister« fünf Monate verbrachte, ehe er sich von der für ihn übermächtigen Größe Schillers losriß. Trotzdem gesteht er noch 1798 aus Frankfurt a.M.: »Nie kann ich mich ganz aus Ihrer Sphäre entfernen ...«

172 Jena, Marktplatz. Kupferstich von Ludwig Hess, um 1830. In dem Hause rechts vorn gegenüber dem Brunnen (Unterm Markt 1) befand sich Schillers Wohnung, die er nach seiner Rückkehr aus Schwaben bezog und mit seiner Familie bis zum 31. VIII. 1795 bewohnte.

173 Friedrich Leopold Freiherr von Hardenberg (1772–1801). Stahlstich von A. Weger. Novalis, der sich während seines Studiums in Jena 1790/91 besonders eng an Schiller angeschlossen hatte, gehörte zu den Studenten, die während der Krankheit des Dichters an seinem Bett Wache hielten. Bei seinem Weggang von Jena schrieb er an Schiller: »Ein Wort von Ihnen entzündete tausend andere Funken in mir. Ihr freundschaftliches Herz, ihre ganze Individualität, der ich so nah mich wußte, wäre genug gewesen, um Jena mir angenehm und unvergeßlich zu machen.«

174 Johann Gottlieb Fichte (1762–1814) am Katheder. Zeichnung von Henschel. Als Nachfolger Reinholds wurde Fichte 1794 Professor der Philosophie in Jena. Zusammen mit Niethammer gab er dort das ›Philosophische Journal‹ heraus. Schiller hatte Fichte in Tübingen kennengelernt und kam in Jena bald in lebhafte Beziehung zu ihm. Ein Aufsatz Fichtes erschien 1795 in den ›Horen‹. Die Ablehnung eines anderen Aufsatzes führte zu einer Auseinandersetzung zwischen Schiller und ihm; doch fanden sie sich wieder, und nach Schillers Tod gestand Fichte, daß ihm ein Glied seiner geistigen Existenz abgestorben sei. 1798 verließ Fichte Jena wegen des sog. Atheismusstreits. Er gehörte zu den ersten Professoren der neugegründeten Universität Berlin.

175 Goethes Haus am Frauenplan in Weimar. Stahlstich von E. Brinckmann. Schillers Bitte um Mitarbeit an den ›Horen‹ und sein Gespräch mit Goethe über die Urpflanze nach der Sitzung der ›Naturforschenden Gesellschaft‹ in Jena am 20. VII. 1794 führten zur gegenseitigen Annäherung. Im Aufsatz ›Erste Bekanntschaft mit Schiller‹ berichtet Goethe: »Wir gelangten zu seinem Hause, das Gespräch lockte mich hinein; da trug ich die Metamorphose der Pflanzen lebhaft vor, und ließ, mit manchen charakteristischen Federstrichen, eine symbolische Pflanze vor seinen Augen entstehen. Er vernahm und schaute das alles mit großer Theilnahme, mit entschiedener Fassungskraft; als ich aber geendet, schüttelte er den Kopf und sagte: das ist keine Erfahrung, das ist eine Idee ... Wenn er das für eine Idee hielt, was ich aus Erfahrung aussprach, so mußte doch zwischen beiden irgend etwas Vermittelndes, Bezügliches obwalten! Der erste Schritt war jedoch getan. Schillers Anziehungskraft war groß, er hielt alle fest die sich ihm näherten.« Nach einem zwanglos herzlichen Brief Goethes vom 25. Juli mit der Anregung zu gegenseitigem Gedankenaustausch, schrieb Schiller am 23. VIII. 1794: »Mir fehlte das Objekt, der Körper, zu mehreren, speculativischen Ideen, und Sie brachten mich auf die Spur davon. Ihr beobachtender Blick, der so still und rein auf den Dingen ruht, setzt Sie nie in Gefahr, auf den Abweg zu gerathen, in den sowohl die Speculation als die willkührliche und bloß sich selbst gehorchende Einbildungskraft sich so leicht verirrt ...« In Goethes Antwort vom 27. August

heißt es: »... was mir Ihre Unterhaltung gewährt hat, wie ich von jenen Tagen an auch eine Epoche rechne und wie zufrieden ich bin, ohne sonderliche Aufmunterung, auf meinem Wege fortgegangen zu seyn, da es nun scheint als wenn wir, nach einem so unvermutheten Begegnen, mit einander fortwandern müßten... Haben wir uns wechselseitig die Punckte klar gemacht wohin wir gegenwärtig gelangt sind; so werden wir desto ununterbrochener gemeinschaftlich arbeiten können...«

176 Schillers Garten. Nach einer Zeichnung von Johann Wolfgang von Goethe, undatiert. 1797 konnte Schiller für 1150 Reichstaler ein Gartengrundstück aus dem Besitz des verstorbenen Jenaer Professors Johann Ludwig Schmidt mit Wohnhaus, Gartenhaus und Laube erwerben, das außerhalb Jenas an der Leutra lag. Hier verbrachte er die Sommerhalbjahre 1797, 1798 und 1799 und schrieb große Teile des ›Wallenstein‹, die meisten Balladen, den Anfang der ›Maria Stuart‹ und beendete die ›Jungfrau von Orleans‹ im Frühjahr 1801, als er nochmals von Weimar aus dort hinkam.

177 Schiller am Stehpult. Hinterglassilhouette von Hauk.

178 Johann Wolfgang von Goethe (1749–1832). Kupferstich von Johann Heinrich Lips. Am 30. VIII. 1794 übersandte Goethe als ersten ›Horen‹-Beitrag seinen Aufsatz ›Inwiefern die Idee, Schönheit sei Vollkommenheit mit Freiheit, auf organische Naturen angewendet werden könne‹. Vom 14. bis 27. IX. 1794 ist Schiller Goethes Gast in Weimar.

179 ›Musenalmanach für das Jahr 1797.‹ Neustrelitz: Michaelis 1796. Umschlag. Am 29. IX. 1796 erschien dieser von Schiller herausgegebene Musenalmanach, der außer einer Anzahl von Gedichten Goethes und Schillers Xenien enthielt und daher als Xenienalmanach bezeichnet wird. Er erregte großes Aufsehen, und Goethe meinte: »Nach dem tollen Wagestück mit den Xenien müssen wir uns bloß großer und würdiger Kunstwerke befleißigen.« Die 2000 Exemplare der Erstausgabe waren rasch vergriffen, ebenfalls eine zweite Auflage mit 500 Stück. Ein Jahr später erschien der sog. Balladenalmanach mit ›Der Ring des Polykrates‹ ›Der Handschuh‹, ›Ritter Toggenburg‹, ›Die Kraniche des Ibykus‹ und ›Der Gang nach dem Eisenhammer‹.

180 Die Xenienritter. Karikaturstich zu den Goethe-Schillerschen Xenien von C. Schule nach einer Zeichnung von Rossmäßler, 1797 (in: Almanach ›Triumpf des deutschen Witzes‹. Leipzig: Baumgärtner 1800). Goethe links am Baum, Schiller gegen Nicolai vorgehend, am Boden Herder. Die Xenien hatten zu heftigen Reaktionen der angegriffenen Literaten geführt. Besonders scharf waren die Antixenien Nicolais.

181 Jean Paul Friedrich Richter (1763–1825). Kupferstich von Nettling nach einer Zeichnung von Schröder. Jean Paul besuchte Schiller in Jena am 25. VI. 1796 von Weimar aus. Schiller versuchte, ihn für die Mitarbeit an den ›Horen‹ und zur Übersiedlung nach Jena zu gewinnen. An Christian Otto schrieb Jean Paul am 20. VI. 1799: »Schillers Portrait oder vielmehr seine Nase daran schlug wie ein Blitz in mich ein: es stellet einen Cherubim mit dem Keime des Abfals vor und er scheint sich über alles zu erheben, über die Menschen, über das Unglük und über die – Moral. Ich konte das erhabene Angesicht, dem es einerlei zu sein schien, welches Blut fliesse, fremdes oder eignes, gar nicht sat bekommen.«

182 Friedrich Wilhelm Joseph von Schelling (1775–1854) in jüngeren Jahren. Nach einer verschollenen Bleistiftzeichnung von Friedrich Tieck, 1801/1802. 1798 kam Schelling als Philosophieprofessor nach Jena. Schiller hatte die Berufung des schwäbischen Stiftlers, der mit Hölderlin und Hegel zusammen in Tübingen studiert hatte, befürwortet. Zunächst stand er in regen Beziehungen zu dem »trefflichen Kopf«, doch später lockerte der engere Anschluß Schellings an den Kreis um die Brüder Schlegel die Verbindung.

183 Karl Wilhelm Friedrich Schlegel (1772–1829). Kupferstich nach einer Zeichnung von Philipp Veit. Schiller hatte Friedrich Schlegel im Frühjahr 1792 im Hause Körners in Dresden kennengelernt, doch hatte ihn dessen kühler Intellekt und starkes Selbstbewußtsein abgestoßen. Im August 1796 kam Friedrich Schlegel zu seinem Bruder nach Jena. Sein scharfer Geist verspreche viel, war damals Schillers Meinung. Die anmaßenden und kränkenden Besprechungen, in denen jedoch Schlegel über Schiller herfiel, führten bald zum Bruch.

184 Wallensteins Lager. Kolorierter Kupferstich von C. Müller nach einer Zeichnung von Georg Melchior Kraus. Nach der Erstaufführung in Weimar am 12. x. 1798.

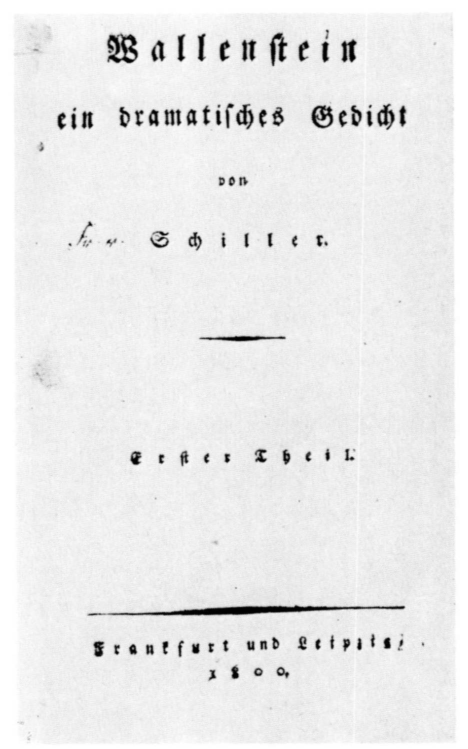

Wallenstein

ein dramatisches Gedicht

von

Schiller.

Erster Theil.

Frankfurt und Leipzig,

1800.

185 Schiller: ›Wallenstein. Ein dramatisches Gedicht.‹ Erster Teil. Frankfurt a.M. und Leipzig: Cotta 1800. Titelblatt der Erstausgabe. In einer Auflagenhöhe von 4000 Exemplaren und in drei verschiedenen Aufmachungen erschien Ende Juni 1800 die Erstausgabe des ›Wallenstein‹. Ihr Erscheinungstermin war hinausgeschoben worden, um die Einkünfte aus Theatertantiemen nicht zu beeinträchtigen.

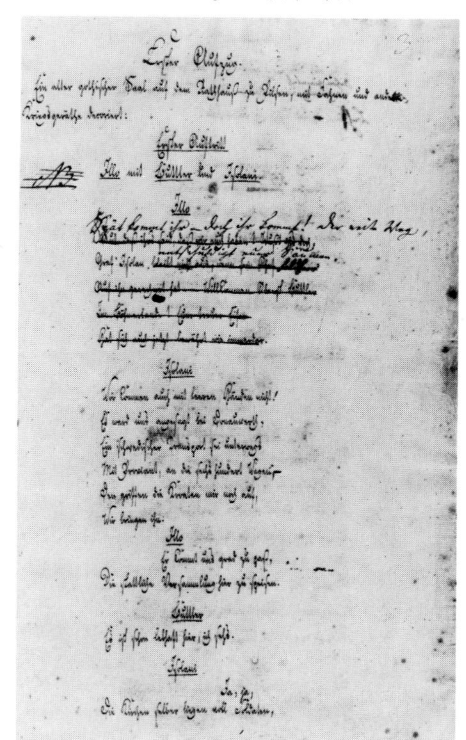

Erster Aufzug.

Ein alter gothischer Saal auf dem Rathhause zu Pilsen, mit Fahnen und andern Kriegsgeräthe decorirt.

Erster Auftritt

Illo mit Butler und Isolani.

Illo

Spät kommt ihr — doch ihr kommt! Der weite Weg,

[illegible]

Graf Isolan, [illegible]

[illegible]

[illegible]

[illegible]

Isolani

Wir kommen auch mit leeren Händen nicht!

Es ward uns angesagt bei Donauwörth,

Ein schwedischer Transport sei unterwegs

Mit Proviant, an die sechshundert Wagen.

Den griffen die Croaten mir noch auf,

Wir bringen ihn.

Illo

Er kommt uns grad zu paß,

Die stattliche Versammlung hier zu speisen.

Butler

Es ist schon lebhaft hier, ich seh's.

Isolani

Ja, ja,

Die Kirchen selber liegen voll Soldaten,

186 Schiller: ›Wallenstein‹. Schreiberhandschrift der ›Piccolomini‹ (I. Aufzug, 1. Auftritt) mit eigenhändigen Korrekturen Schillers. 1796 entschloß sich Schiller zum Wallenstein-Drama, dessen Grundidee ihn schon mehrere Jahre beschäftigt hatte. Nach vielen Umarbeitungen wurde das Werk Anfang 1799 beendet und sofort in Weimar und Berlin zur Aufführung gebracht. Die Teilung der Tragödie auf drei Abende ging auf einen Rat Goethes zurück.

187 Blick auf Weimar. Stahlstich von L. Oeder nach einer Zeichnung von Rohbock. Um Goethe dauernd nahe zu sein, beschloß Schiller, nach Weimar umzuziehen. Der Umzug fand am 3. XII. 1799 statt, und Schiller hoffte, in Weimar »ein neues, heiteres Leben anfangen zu können«.

188 Das alte Theater in Weimar. Kupferstich, um 1800. Die Gestalt des Theaters in den Jahren von 1798–1825. Seit seinem Umzug nach Weimar war Schillers Verbindung mit dem Theater immer enger geworden. Als Goethe im Januar 1801 schwer erkrankte, übernahm er in seiner Vertretung die Leitung der Theaterproben und blieb seitdem ebenfalls in der Theaterleitung.

189 Schillers Wohnung in Weimar, Windischengasse 8. Stahlstich der Zeit. Vom Dezember 1799 bis zum April 1802 bewohnte Schiller eine Wohnung im zweiten Stock des Hauses von Perückenmacher Müller. Es war die einstige Wohnung von Charlotte von Kalb.

190 Schiller in Hoftracht. Zeitgenössischer Scherenschnitt, um 1790. Am 5. XII. 1799 stellte sich Schiller dem Herzog als Weimarer Bürger vor, nachdem er am 14. III. 1798 zum ordentlichen Honorarprofessor an der Universität Jena ernannt worden war.

191 Luise Herzogin von Sachsen-Weimar geb. Prinzessin von Hessen-Darmstadt (1757–1830). Getuschte Silhouette der Zeit. Die Weimarer Herzogin war eine zarte, feinfühlige Frau von stiller, zurückhaltender Wesensart und daher sehr ungleich der Natur ihres Mannes, an dessen Seite sie ein entsagungsvolles Leben führte. Nach der Schlacht bei Jena gewann ihr festes Auftreten Napoleon Achtung ab und rettete dem Gatten den Thron. Herzogin Luise war Patin von Schillers Sohn Carl.

192 Carl August Herzog von Sachsen-Weimar (1757–1828). Scherenschnitt der Zeit. Immer wieder traf Schiller bei Goethe oder an der herzoglichen Tafel mit Carl August zusammen. Dieser interessierte sich lebhaft für Schiller und seine Werke und schlug ihm gelegentlich auch Themen für Dramen vor.

193 Titelkupfer von W. Behm nach einer Zeichnung von Heinrich Meyer zu Schillers Ballade ›Der Handschuh‹ und Titelblatt der Erstausgabe von Schillers ›Gedichten‹. Der Ende August 1800 erschienene Auswahlband umfaßt ausschließlich Gedichte aus Schillers Jenaer Jahren, nur fünf aus

Gedichte

von

Friederich Schiller.

Erster Theil.

Leipzig, 1800.
bey Siegfried Lebrecht Crusius.

der Zeit vor der ersten Begegnung mit Goethe fanden Berücksichtigung. Zu gleicher Zeit, ebenfalls bei Crusius, erschien der zweite Teil von Schillers ›Kleineren prosaischen Schriften‹.

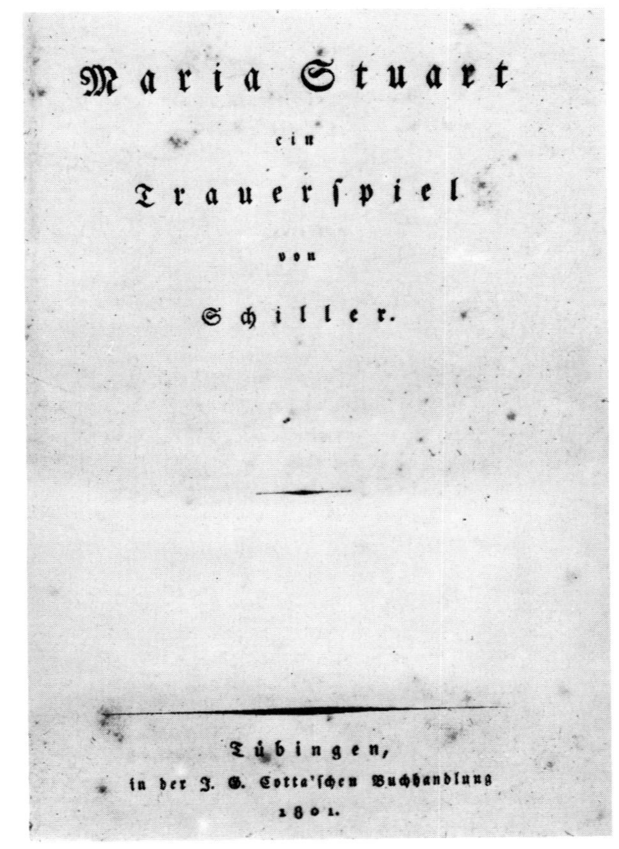

Maria Stuart

ein

Trauerspiel

von

Schiller.

Tübingen,

in der J. G. Cotta'schen Buchhandlung

1801.

194 Schiller: ›Maria Stuart ein Trauerspiel.‹ Tübingen: Cotta 1801. Titelblatt der Erstausgabe. Mit dem Maria-Stuart-Stoff beschäftigte Schiller sich bereits 1783 in Bauerbach. Das Drama vollendete er vom 5. V. bis zum 2. VI. 1800 in der Einsamkeit von Schloß Ettersburg. Am 14. VI. 1800 fand im Weimarer Hoftheater vor ausverkauftem Hause die Uraufführung statt. Caroline Jagemann spielte die Elisabeth, Frau Voß die Maria. Die Aufführung wurde zu einem großen Erfolg ebenso wie ihre Wiederholung in Lauchstädt am 3. Juli.

195 Maria Stuart auf ihrem letzten Gang. Aquarell von J. Wolf jun. Herder wandte sich gegen die Darstellung der Kommunionsszene in dem Trauerspiel.

DIE

JUNGFRAU VON ORLEANS.

EINE ROMANTISCHE TRAGÖDIE

VON

SCHILLER.

Mit einem Kupfer.

BERLIN

BEI JOHANN FRIEDRICH UNGER

1802.

196 Schiller: ›Die Jungfrau von Orleans. Eine romantische Tragödie‹. Berlin: Unger 1802. Titelkupfer und Titelblatt der am 12. X. 1801 erschienenen Erstausgabe. Das einen Minervakopf darstellende Titelbild von Johann Friedrich Bolt sollte bewußt den Inhalt des neuen dramatischen Werkes verschleiern, da Schiller auch seine Freunde mit dem Kalender überraschen wollte.

197 Theaterzettel der Uraufführung der ›Jungfrau von Orleans‹. Leipzig, 11. IX. 1800. Mit der Ausarbeitung des Stückes hatte Schiller im Spätsommer 1800 begonnen. Im Februar 1801 las er Goethe die drei ersten Akte vor. In einer »Art Fieberzustand« wurde das Stück in der Stille des Jenaer Gartenhauses Mitte April beendet. Für die Uraufführung kam Weimar nicht in Frage, da der Herzog nicht wünschte, daß Caroline Jagemann die Hauptrolle spielte. Sie fand dann in Leipzig statt, und Schiller, der dort an der dritten Aufführung am 17. September teilnahm, wurde begeistert gefeiert, obwohl ihm die Opitzsche Aufführung nicht sonderlich gefiel. Die erste Berliner Aufführung unter Iffland am 23. November wurde ebenfalls zu einem glänzenden Erfolg. In Weimar wurde die ›Jungfrau‹ erst am 23. IV. 1803 anläßlich eines Gastspiels gegeben.

Mit gnädigster Erlaubniß
wird heute, Freytags den 11. Sept. 1801.
von den
Churfürstlich Sächsischen
privilegirten deutschen Schauspielern
auf dem Theater am Rannstädter Thore
zum Erstenmal
aufgeführt:

Die Jungfrau von Orleans.

Ein neues romantisches Trauerspiel in fünf Aufzügen;
vom Herrn Hofrath Schiller.

Personen:

Karl der Siebente, König von Frankreich,	Herr Opitz.
Königin Isabeau, seine Mutter,	Mad. Schirmer.
Agnes Sorel, seine Geliebte,	Mad. Reinhard.
Philipp der Gute, Herzog von Burgund,	Herr Haffner.
Graf Dünois, Bastard von Orleans,	Herr Schirmer.
La Hire, } Königliche Officiere,	Herr Millner.
Dü Chatel, }	Herr Sommerfeld.
Der Seneschal von Rheims,	Herr Henke.
Chatillon, ein Burgundischer Ritter,	Herr Bösenberg.
Raoul, ein Lothringischer Ritter,	Herr Zucker.
Talbot, Feldherr der Engländer,	Herr Ochsenheimer.
Lionel, englischer Anführer,	Herr Drewitz.
Thibaut von Arc, ein reicher Landmann,	Herr Christ.
Margot, } seine Töchter,	Mlle. Koch.
Louison, }	Mad. Ochsenheimer.
Johanna, }	Mad. Hartwig.
Etienne, } ihre Freier,	Herr Schulz.
Claude Marie, }	Herr Küntzel.
Raimond, }	Herr Schröder.
Ein Edelknecht des Königs,	Mlle. Christ, die ältere
Ein Köhler,	Herr Thering.
Sein Weib,	Mad. Henke.
Anet, ein Köhlerbursche,	Mlle. Christ, die jüngere.

Fastolf, englischer Offizier.
Montgomery, ein Walliser.
Ein englischer Herold.
Rathsherren von Orleans.
Bertrand, ein Landmann.
Die Erscheinung eines schwarzen Ritters.
Mehrere französische, burgundische und englische Ritter.
Königliche Kronbediente.
Herolde.
Marschälle.
Magistratspersonen.
Hofleute.
Pagen.
Soldaten und Volk.

Die Zeit der Handlung ist das Jahr 1430.

Die Preise sind wie gewöhnlich.

Der Anfang ist um 6 Uhr. Das Ende um 9 Uhr.

198 Schiller: Neujahrsbrief an Goethe. Weimar, 1.1.1802. »Lassen Sie uns das neue Jahr mit den alten Gesinnungen und mit guter Hofnung eröfnen. – Es that mir sehr leid, daß ich den gestrigen Abend versäumen mußte, aber so kurz mein neulicher Anfall von Fieber und Cholera war, so hart hat er mich angegriffen, und die Schwäche die er zurückließ hat alle meine Krämpfe wieder rege gemacht. Doch geht es jezt viel besser und ich hoffe, der morgenden Vorstellung beiwohnen zu können...«

199 Goethe und Schiller im Gespräch. Nach einer Johann Christian Reinhart zugeschriebenen karikaturistischen Federzeichnung, 1804. In den Jahren 1828–1829 gab Goethe seinen Briefwechsel mit Schiller heraus. Darin sagt er: »Diese Briefe ... lassen erfreulich sehen: wie in Freundschaft und Einigkeit mit manchen untereinander Wohlgesinnten, besonders auch mit mir, er unablässig gestrebt und gewirkt, und, wenn auch körperlich leidend, im Geistigen doch immer sich gleich und über alles Gemeine und Mittlere stets erhaben gewesen ...«

200 Schillers Haus an der Esplanade in Weimar. Kolorierter Kupferstich der Zeit. Schiller bezog dieses Haus, das wenige Jahre zuvor von dem Engländer Mellish, dem Übersetzer der ›Maria Stuart‹, erbaut worden war, am 29. IV. 1802 (an diesem Tag starb Schillers Mutter bei der Tochter Luise im Cleversulzbacher Pfarrhaus). Vorschußzahlungen Cottas und anderer Verleger sowie der Verkauf des Jenaer Besitztums hatten ihm den Erwerb dieses Hauses ermöglicht, das er dann bis zu seinem Tode bewohnte.

201 Schillers Wappen aus dem Adelsbrief, 7. IX. 1802. Auf Vorschlag des Weimarer Hofes wurde Schiller – vermutlich als einem der letzten – der erbliche Adel des ›Heiligen Römischen Reiches Deutscher Nation‹ verliehen. Am 16. XI. 1802 traf der Adelsbrief aus Wien ein. Geheimrat Voigt hatte Schillers Personalien zusammengestellt und einen ersten heraldischen Entwurf nach dem Wappen des österreichischen Geschlechts der Schiller von Herdern besorgt. An Cotta schrieb Schiller am 27. XI. 1802: »Die Anregung zu dieser Sache ist vom Herzog von Weimar geschehen, der mir dadurch etwas angenehmes erzeigen und meine Frau, welche bisher nicht nach Hof gehen konnte, auf einen gleichern Fuß mit meiner Schwägerin setzen wollte; denn es hatte etwas unschickliches, daß von 2 Schwestern die Eine einen vorzüglichen Rang am Hofe, die andre gar keinen Zutritt zu demselben hatte... Sie können übrigens leicht denken, daß mir, für meine eigene Person die Sache ziemlich gleichgültig ist.«

202 Friedrich Schiller. Büste in Gips von Christian Friedrich Tieck, 1802. Der Bildhauer, ein Bruder des Dichters Ludwig Tieck, war Schüler von Schadow und einer der Hauptmeister des Berliner Klassizismus. 1801 bis 1805 weilte er in Weimar, wo er Goethe nahestand.

203 Schiller: ›Der Regenbogen‹. Handschrift eines der Rätsel zu ›Turandot‹, entstanden am 1.11.1802 [Turandot an Kalaf:] / »Aus Perlen baut sich eine Brücke / Hoch über einen grauen See. / Sie baut sich auf im Augenblicke, / Und glänzend steigt sie in die Höh. / Der höchsten Schiffe höchste Masten / Ziehn unter ihrem Bogen hin, / Sie selber trug noch keine Lasten / Und scheint, wie du ihr nahst zu fliehn. / Sie wird erst mit dem Strom, und schwindet, / So wie des Waßers Flut versiegt. / So sag, – wo sich die Brücke findet, / Und wer sie künstlich hat gefügt?« – Von Ende Oktober bis Ende Dezember 1801 bearbeitete Schiller Gozzis ›Turandot‹ in der Übersetzung von August Clemens Werthes für das Weimarer Theater. Die Uraufführung fand zum Geburtstag

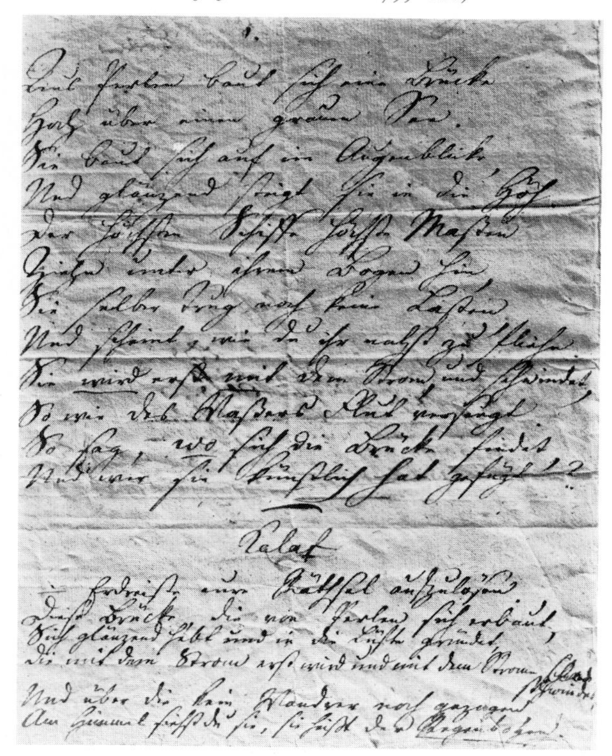

Von Perlen baut sich eine Brücke
Hoch über einen grauen See.
Sie baut sich auf im Augenblicke,
Und glänzend steigt sie in die Höh.
Der höchsten Schiffe höchste Masten
Ziehen unter ihrem Bogen hin,
Sie selber trug noch keine Lasten
Und scheint, wie du ihr nahst, zu fliehn.
Sie wird erst mit dem Strom und schwindet
So wie des Wassers Flut versiegt.
So sag, wo sich die Brücke findet
Und wer sie künstlich hat gefügt!?

[illegible]

[illegible] ein Räthsel aufzulösen
diese Brücke die von Perlen sich erbaut
Sich glänzend hebt und in die Lüfte gründet,
die mit dem Strom erst wird und mit dem Strome schwindet
Und über die kein Wandrer noch gezogen
Am Himmel siehst du sie, sie heißt der Regenbogen.

der Herzogin am 30. 1. 1802 in Weimar statt. Für die folgenden Aufführungen lieferten Goethe und Schiller jeweils neue Rätsel.

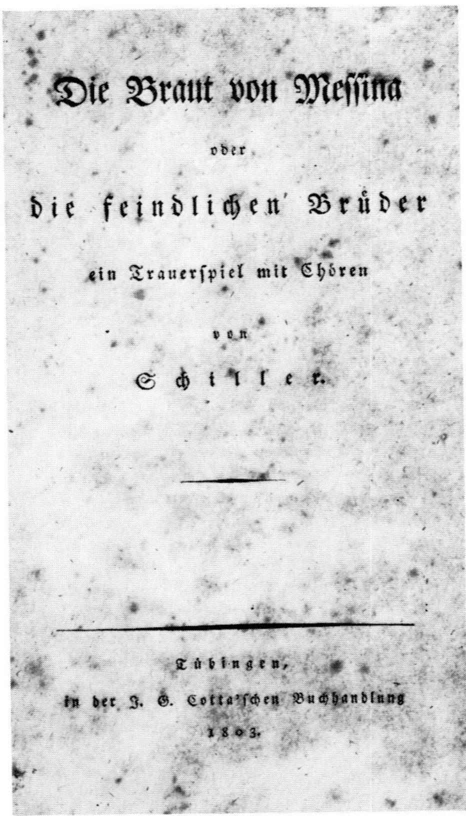

Die Braut von Messina

oder

die feindlichen Brüder

ein Trauerspiel mit Chören

von

Schiller.

Tübingen,

in der J. G. Cotta'schen Buchhandlung

1803.

204 Schiller: ›Die Braut von Messina oder die feindlichen Brüder / ein Trauerspiel mit Chören‹. Tübingen: Cotta 1803. Titelblatt der Erstausgabe. Von Mitte August 1802 bis Anfang Februar 1803 arbeitete Schiller an der ›Braut von Messina‹. Am 4. Februar las er das Werk einem kleineren Kreise vor, Mitte Juni erschien die Erstausgabe.

MACBETH

EIN

TRAUERSPIEL VON SHAKESPEAR

ZUR VORSTELLUNG

AUF DEM HOFTHEATER ZU WEIMAR

EINGERICHTET

VON

SCHILLER.

TÜBINGEN,

IN DER J. G. COTTA'SCHEN BUCHHANDLUNG

1801.

205 ›Macbeth ein Trauerspiel von Shakespear zur Vorstellung auf dem Hof-Theater zu Weimar eingerichtet von Schiller‹. Tübingen: Cotta 1801. Titelblatt. Nach erster Besprechung zwischen Schiller und Goethe entstand zwischen dem 12. Januar und Ende März 1800 die Versfassung dieser Bearbeitung. Die Weimarer Uraufführung fand am 15.V. statt. Die Erstausgabe von Schillers Shakespeare-Bearbeitung erschien am 27.IV.1801. Die Gebrüder Gädicke in Weimar hatten den Druck besorgt.

206 Schiller: Dramenplan, 1797–1804. Eine Seite der Handschrift. Dieses Verzeichnis mit einer Zusammenstellung der von Schiller geplanten dramatischen Werke mag etwa aus den Jahren 1793/94 stammen und immer wieder ergänzt worden sein. Angaben der Jahre, in denen die einzelnen Werke vollendet wurden, fügte Schiller später bei. Die Zusammenstellung enthält zahlreiche Themen, die nicht mehr zur Ausführung kamen oder von denen nur wenige dramatische Entwürfe vorhanden sind.

207 Madame de Staël (Anne Louise Germaine Baronin von Staël-Holstein geb. Necker, 1766–1817). Lithographie von Ducarme. Die berühmte Schriftstellerin weilte vom 14. XII. 1803 bis zum 29. II. 1804 in Weimar. Bereits 1796 war von ihr ein Aufsatz in der Übersetzung von Goethe in den ›Horen‹ erschienen. Schiller hielt Madame de Staël für das beweglichste, streitfertigste und redseligste, aber auch das gebildetste und geistreichste weibliche Wesen, dessen schöner Verstand sich zu einem genialischen Vermögen erhebe. In Weimar belebte sie durch ihren Geist die Gesellschaft. Die Eindrücke, die sie bei ihrer Deutschlandreise gewann, fanden in ihrem Buch ›De l'Allemagne‹ Niederschlag. In ihm äußerte sie sich sehr anerkennend über Schillers Dramen.

208 Wilhelm Tell, Apfelschußszene. Alter Holzschnitt zur Tellsage. Die Gespräche mit Goethe, seine ausführlichen Schilderungen von Land und Leuten sowie historische und geographische Studien über die Schweiz (u.a. Tschudis ›Chronicon helveticum‹) waren die Quellen für die dramatische Gestaltung der Tellsage.

209 Schiller: ›Wilhelm Tell / Schauspiel‹. Tübingen: Cotta 1804. Titelblatt und Titelkupfer der Erstausgabe. Sie erschien in einer Auflage von 7000 Exemplaren Anfang Oktober.

210 Schiller: Ein Blatt aus dem ›Tell‹-Manuskript (IV. Aufzug, 2. Szene), abweichend von der endgültigen Fassung. Nach den ersten Vorstudien im Mai erfolgte die Niederschrift des Schauspiels im wesentlichen in der Zeit vom 25. VIII. 1803–18. II. 1804. An Körner schrieb Schiller am 9. IX. 1802: »Ob nun gleich der Teil einer dramatischen Behandlung nichts weniger als günstig scheint, ... so habe ich doch biß jetzt soviel poetische Operation damit vorgenommen, daß sie aus dem historischen hinaus u. ins poetische eingetreten ist...«

Wilhelm Tell

Schauspiel

von

Schiller.

Zum Neujahrsgeschenk auf 1805.

Tübingen,
in der J. G. Cotta'schen Buchhandlung
1804.

211 Ernst Friedrich Wilhelm Schiller (1796–1841). Getönte Federzeichnung von Heinrich Meyer, 1801. Schillers zweiter Sohn studierte in Heidelberg und Jena die Rechtswissenschaften. Da er in Weimar keine Anstellung fand, trat er 1819 in preußische Dienste als Gerichtsassessor in Köln. 1828 wurde er Landgerichtsrat in Trier, 1835 Appellationsgerichtsrat in Köln. Er starb fast im gleichen Alter wie sein Vater, dem er in späteren Jahren sehr ähnlich war, an einem Lungenleiden.

212 Karl Friedrich Ludwig Schiller (1793–1857). Ölgemälde von Karl Brand, 1810. Schillers ältester Sohn studierte in Heidelberg und Jena Forstwissenschaften und bildete sich für den praktischen Forstdienst aus, in dem auch sein frühverstorbener Großvater mütterlicherseits tätig war. Da eine Anstellung im weimarischen Dienst nicht zu erreichen war, wurde er 1817 im württembergischen Forstdienst angestellt und war 1822–1833 Revierförster in Reichenberg, dann Oberförster in Rottweil, Lorch und Neuenstadt am Kocher. König Friedrich von Württemberg erklärte, es sei ihm die größte Freude, »die Verdienste eines Mannes, auf den Württemberg stolz sein kann, auch in seinem Sohne zu ehren«: 1845 wurde er in den Freiherrnstand erhoben. Sein einziger Sohn Friedrich (1826 bis 1877) wurde österreichischer Kürassieroffizier und starb kinderlos als Major a. D. in Stuttgart.

213 Emilie Henriette Luise Schiller (1804–1872). Getönte Zeichnung der Zeit. Schillers jüngstes, knapp ein Jahr vor seinem Tod geborenes Kind vermählte sich 1828 mit Heinrich Adalbert Freiherrn von Gleichen-Rußwurm (1803–1887), einem Patenkind ihres Vaters. Auf ihrem Schloß Greifenstein ob Bonnland (Unterfranken), wo Schiller auf der Reise in die Heimat einmal übernachtet hatte, betreute sie den Nachlaß des Vaters und pflegte sein Andenken. Ihr Sohn Ludwig (1836 bis 1901) war ein angesehener Landschaftsmaler, dessen Sohn Alexander Freiherr von Gleichen-Rußwurm (1865–1947) der letzte direkte Nachkomme Schillers.

214 Karoline Luise Friederike Schiller (1799–1850). Lithographie nach einer Bleistiftzeichnung von Christophine Reinwald, undatiert. Das dritte Kind, die älteste Tochter Schillers, war von 1827–1830 Erzieherin am Hofe Herzog Eugens von Württemberg in Karlsruhe bei Brieg (Schlesien). 1836 vermählte sie sich mit dem verwitweten Bergrat Franz Carl Emanuel Junot (1786–1846) und lebte später in Rudolstadt. Während eines Besuches bei der jüngsten Schwester Emilie starb sie in Würzburg.

215 Berlin. Gesamtansicht von Süden aus. Kolorierter Kupferstich von Johann Friedrich Hennig, um 1802. Auf Grund wiederholter Einladungen von August Wilhelm Iffland entschloß sich Schiller spontan im Frühjahr 1804 zu einer Reise nach Berlin. Am 26. April machte er sich mit seiner Frau und den Söhnen auf den Weg.

216 Friedrich Schiller. Kreidezeichnung von Johann Gottfried Schadow, 1804. Diese Porträtzeichnung des berühmten Malers entstand während Schillers Aufenthalt in Berlin. Nach einer zweitägigen Reiseunterbrechung in Leipzig, wo er mit seinen Verlegern Cotta, Göschen und Crusius zusammen war, traf er am 1. Mai in der preußischen Hauptstadt ein und blieb dort bis zum 16. v.

217 Das neue Schauspielhaus in Berlin. Aquarell von F.A. Calau, undatiert. In Schillers Anwesenheit wurde hier am 4. V. 1804 ›Die Braut von Messina‹ gegeben. Bei seinem Erscheinen wurde er ebenso wie bei Aufführungen der ›Jungfrau von Orleans‹, an denen er am 6. und 12. Mai teilnahm, vom Publikum mit begeistertem Jubel begrüßt. Für die Aufführung der ›Jungfrau von Orleans‹ hatte Schinkel ein eindrucksvolles Bühnenbild geschaffen.

218 Iffland als Wilhelm Tell (im III. Akt, 3. Szene). Kupferstich von Henschel. Iffland hatte während seiner Theaterleitung das Berliner Schauspielhaus auf dem Gendarmenmarkt zu vielseitiger Entfaltung gebracht. Wichtige Rollen spielte der große Schauspieler nicht selten selbst. Eine ›Tell‹-Aufführung kam in Berlin zunächst nicht zustande, da Iffland einige Stellen, die Schiller jedoch nicht ändern wollte, politisch zu anzüglich fand. Erst nach Schillers Abreise wurde ›Wilhelm Tell‹ am 4. VII. 1804 gespielt und innerhalb von 14 Tagen sechsmal wiederholt.

219 Ifflands Landhaus »Tranquillitas« in Berlin (Tiergartenstraße 29). Handkolorierte Radierung von F. R. Naumann (Dresden), um 1820. Während seines Aufenthalts in Berlin ist Schiller mehrfach mit Iffland zusammengetroffen und war Gast in seinem Hause.

220 Berlin, Hôtel de Russie. Kolorierte Lithographie von Ludwig Eduard Lütke, undatiert. Schiller traf mit Frau und Söhnen um die Mittagszeit in der preußischen Hauptstadt ein und stieg zunächst in diesem Hotel (Unter den Linden 23) ab. Später lud Hufeland die Familie Schiller ein, bei ihm zu wohnen (Friedrichstraße 130). – Während seines Berliner Aufenthalts traf Schiller mit vielen bedeutenden Persönlichkeiten zusammen; auch Prinz Louis Ferdinand von Preußen gab zu seinen Ehren ein Essen. Nach seiner Rückkehr schrieb Schiller an Körner am 28.V.1804: »Berlin gefällt mir und meiner Frau besser als wir erwarteten. Es ist dort eine große persönliche Freiheit, und eine Ungezwungenheit im bürgerlichen Leben. Musik und Theater bieten mancherlei Genüsse an, obgleich beide bei weitem das nicht leisten, was sie kosten. Auch kann ich in Berlin eher Aussichten für meine Kinder finden, und mich vielleicht, wenn ich erst dort bin, noch auf manche Art verbessern...«

221 Luise Auguste Wilhelmine Amalie Königin von Preußen geb. Prinzessin von Mecklenburg-Strelitz (1776–1810). Kupferstich von Alexandre Tardieu nach einer Zeichnung von Elisabeth Vigé Le Brun, 1807. Die preußische Königin empfing den Dichter und seine Frau am 13. V. 1804. Wie auch aus ihren Briefen hervorgeht, war sie mit Schillers Werken sehr vertraut. Noch in den bittersten Tagen nach dem Zusammenbruch Preußens im Jahre 1806 schrieb sie: »In meinem Schiller habe ich wieder und wieder gelesen! Warum mußte er sterben?« – Das verlockende Angebot des preußischen Hofes, nach Berlin überzusiedeln (Zusicherung eines Jahresgehalts von 3000 Talern), hat sich Schiller lange überlegt. Da aber Herzog Carl August sein Gehalt verdoppelte und auch Goethe versuchte, Schiller zu halten, beschloß er, in Weimar zu bleiben.

222 Krönungszug in Schillers ›Jungfrau von Orleans‹ bei der Berliner Aufführung. Getönte Federzeichnung für den kolorierten Kupferstich von H. Dähling, 1804. So sehr Schiller von der Aufführung angetan war, den Aufwand bei den Massenszenen fand er doch erheblich übertrieben. Für den Krönungszug wurden 200 Personen aufgeboten. Schiller erklärte, man habe den »Zug«, nicht die »Jungfrau« gegeben.

223 Friedrich Schiller. Ölgemälde von Johann Friedrich August Tischbein, 1805. Wahrscheinlich wurde das Gemälde, von dem der Künstler mehrere Repliken anfertigte, erst nach Schillers Tod vollendet. Diese Fassung ging aus dem Besitz von Caroline von Wolzogen später auf Schillers Tochter Emilie von Gleichen-Rußwurm über.

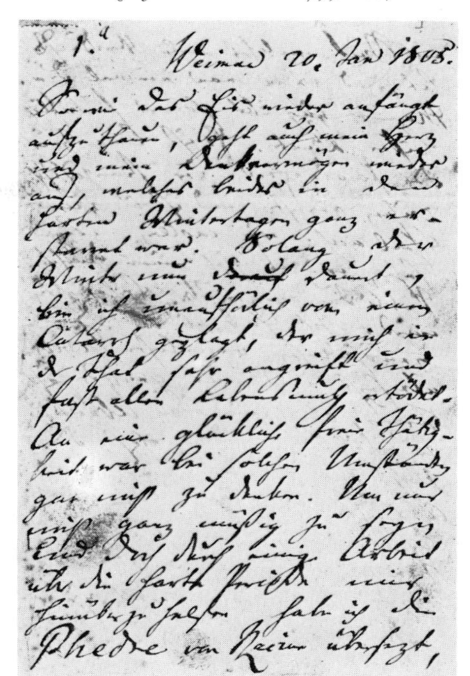

Weimar 20. Jan 1805.

So wie das Eis wieder anfängt
aufzuthauen, geht auch mein Herz
und mein Denkvermögen wieder
auf, welches beides in den
harten Wintertagen ganz erstarret war. Solang der
Winter nun dauert,
bin ich unaufhörlich von einem
Catarrh geplagt, der mich in
der That sehr angreift und
fast allen Lebensmuth ertödet.
An eine glückliche freie Thätigkeit war bei solchen Umständen
gar nicht zu denken. Um nur
nicht ganz müßig zu seyn
und doch durch einige Arbeit
über die harte Periode mir
hinüber zu helfen habe ich die
Phedre von Racine übersezt,

224 Schiller: Brief an Körner: Weimar, 20. 1. 1805. »So wie das Eis wieder anfängt aufzuthauen, geht auch mein Herz und mein Denkvermögen wieder auf, welches beides in den harten Wintertagen ganz erstarret war. Solang der Winter nun dauert, bin ich unaufhörlich von einem Catarrh geplagt, der mich in der That sehr angreift und fast allen Lebensmuth ertödet. An eine glückliche freie Thätigkeit war bei solchen Umständen gar nicht zu denken. Um nur nicht ganz müßig zu seyn und doch durch einige Arbeit über die harte Periode mir hinüber zu helfen habe ich die Phedre von Racine übersezt, ... Ich hab es in den gewöhnlichen reimlosen Jamben übersetzt und mit gewissenhafter Treue, ohne mir eine Abänderung zu erlauben ... Auf den 30. dieses Monats, als d. Geburtstag der Herzogin werden wir es spielen lassen ...«

Die

Huldigung der Künste.

Ein lyrisches Spiel

von

Friedrich von Schiller.

Tübingen,

in der J. G. Cotta'schen Buchhandlung

1805.

225 Schiller. ›Die Huldigung der Künste. Ein lyrisches Spiel.‹ Tübingen: Cotta 1805. Titelblatt der Erstausgabe. Schillers letztes vollendetes Werk erschien Mitte April 1805 im Druck. Nach Schillers Tod nahm sich Maria Paulowna seiner Kinder an.

226 Maria Paulowna Großherzogin von Sachsen-Weimar (1786–1859). Aquarellporträt von Christophine Reinwald geb. Schiller, undatiert. Die Tochter von Zar Paul I. von Rußland und der Zarin Maria Feodorowna geb. Prinzessin Sophie Dorothea von Württemberg hatte am 3. IX. 1804 in Petersburg den Erbprinzen Carl Friedrich von Sachsen-Weimar geheiratet. Zur Feier ihres Einzugs in Weimar schrieb Schiller vom 4.–8. XI. 1804 das Festspiel ›Die Huldigung der Künste‹, das am 12. November uraufgeführt wurde.

227 Schiller in seiner letzten Lebenszeit. Miniaturbildnis von Emma Körner, 1808. Körners Tochter muß den Dichter in diesem Porträt, das aus der Erinnerung gemalt wurde, besonders getreu getroffen haben, denn Schillers Witwe führte gerade dieses Bildnis später auf allen ihren Reisen bei sich.

228 Johann Heinrich Voß d. J. (1779–1822). Kupferstich von Karl Barth nach einer Zeichnung von Garreis, 1826. Schon der Vater Voß stand mit Schiller in guter Verbindung. Er lieferte Beiträge zu den ›Horen‹ und wurde Taufpate der jüngsten Tochter. 1804 kam sein Sohn nach Weimar, wurde Gymnasialprofessor und übernahm die Erziehung von Goethes Sohn August. Auf Wunsch von Schiller, mit dem er wie mit Goethe regen Umgang hatte, übersetzte er Shakespeares ›Othello‹. Seine brieflichen Mitteilungen sind eine der wichtigsten Quellen für Schillers letzte Lebenszeit.

229 Schillers Arbeits- und Sterbezimmer in seinem Weimarer Hause. Kolorierte Lithographie der Zeit. Auf Schillers Schreibtisch lag am Todestag ein Blatt aus seiner ›Demetrius‹-Handschrift. Es war der Monolog der Marfa aus dem II. Akt: »O warum bin ich hier geengt, gebunden, / Beschränkt mit dem unendlichen Gefühl...« (s. Abb. 234).

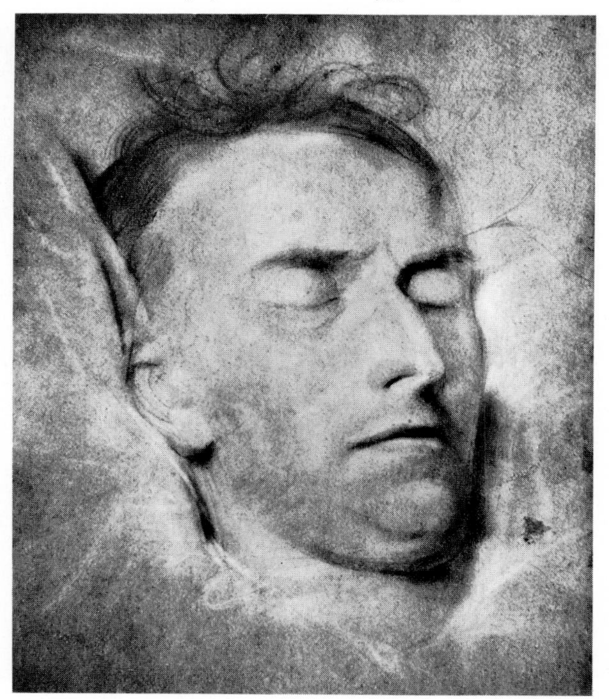

230 Schiller auf dem Totenbett. Nach der Kreidezeichnung von Ferdinand Jagemann, 10. v. 1805. Der langanhaltende Winter und sein immer mehr geschwächter körperlicher Zustand führten bei Schiller zu immer neuen Fieberattacken. Ohnmachtsanfälle, Schüttelfrost quälten ihn. Dazwischen fühlte er sich wieder »unbeschreiblich wohl und kräftig«. In den schlimmsten Nächten wachte der junge Voß bei ihm. Noch während der letzten Krankheit (akute Pneumonie), die am 1. Mai nach einem Theaterbesuch mit Caroline von Wolzogen und einer letzten Begegnung mit Goethe einsetzte, arbeitete Schiller immer wieder an seinem ›Demetrius‹. Am 3. oder 4. Mai besuchte Cotta auf der Durchreise nach Leipzig den kranken Dichter. Vom 6. Mai an verschlechterte sich sein Zustand zusehends. Am 9. Mai starb Schiller nach unruhiger Nacht, Fieberphantasien und Ohnmachten gegen 17.45 Uhr an zwei »Nervenschlägen«.

Den 12ten May, des Nachts 1 Uhr,
wurde der in seinem 46. Lebensjahr ver-
storbene Hochwohlgeb. Herr, Herr D.
Carl Friedrich von Schiller,
F. S. Meiningischer Hofrath, mit der
ganzen Schule, erster Classe, in das
Landschafts-Cassen Leichengewölbe beigesetzt und Nachmittags 3 Uhr des Vollendeten Todesfeyer mit einer Trauerrede von Sr. Hochwürd. Magnificenz,
dem Herrn General-Superintendent
Vogt, in der St. Jacobskirche begangen und von Fürstl. Capelle vor und
nach der Rede eine Trauermusik aus Mozarts Requiem aufgeführt.

231 Nachricht von Schillers Tod und Begräbnis (in: Weimarisches Wochenblatt, 15. V. 1805). Nach Weimarer Sitte wurde Schiller in der Nacht zum 12. Mai zwischen 24 und 1 Uhr von Freunden, darunter dem späteren Bürgermeister Karl Schwabe, Heinrich Voß, Ferdinand Jagemann, dem Bildhauer Klauer und Wilhelm von Wolzogen, zu Grabe getragen.

232 Das Landschaftskassengewölbe auf dem Jakobsfriedhof in Weimar. Kupferstich von Nemetscheck, 1829. In diesem Gewölbe, der Begräbnisstätte für Standespersonen ohne eigenes Erbbegräbnis, wurde Schiller zunächst beigesetzt. Am folgenden Tag fand in der St. Jakobs-Kirche eine Trauerfeier statt. Die Trauerrede hielt Generalsuperintendent Vogt. Die Fürstliche Hofkapelle spielte aus Mozarts ›Requiem‹

233 Die Fürstengruft in Weimar. Kupferstich von Robert Bauer. 1826 wurde Schillers Schädel auf Wunsch des Herzogs Carl August in die herzogliche Bibliothek gebracht und dort im Postament der Schillerbüste von Dannecker verwahrt. 1827 gab König Ludwig I. von Bayern den Anstoß, Schillers Gebeine mit dem Schädel zu vereinen und in der herzoglichen Familiengruft auf dem neuen Friedhof beizusetzen. Hier fand wenige Jahre später auch Goethe seine letzte Ruhestätte.

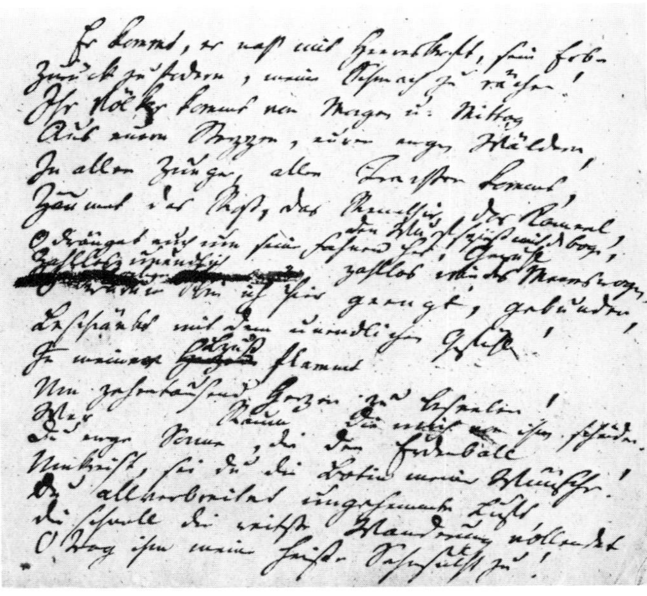

234 Schiller: ›Demetrius‹. Schlußverse des Monologs der Marfa (II, 1; Vers 1217–1227). Aus der fragmentarischen Handschrift des Dichters. – 1790 hatte Schiller ein ›Demetrius‹-Drama der Jenaer Studenten Karl Georg Curtius und Karl Rechlin beurteilt, das 1792 mit einer Widmung an Schiller erschien. Noch während der Proben zu ›Wilhelm Tell‹ vermerkte Schiller in seinem Kalender: »Mich zum Demetrius entschlossen.« Das Drama, das nach seinen Worten alles übertreffen sollte, was er geschrieben hatte, blieb Fragment. Nur der erste Akt und der Anfang des zweiten sind ausgeführt. Im März 1804 hatte sich Schiller nach längerem Zögern endgültig zur Ausarbeitung der »abenteuerlichen Expedition des falschen Demetrius« entschlossen. Nach einer längeren Unterbrechung nahm er die Arbeit im Januar 1805 wieder auf und war bis wenige Tage vor seinem Tod damit beschäftigt.

235 Schillers Totenmaske, abgenommen von Johann Christian Ludwig Klauer, 10. V. 1805. »Die vollkommenste Ruhe verklärte sein Antlitz, seine Züge waren die eines sanft Schlafenden« (Caroline von Wolzogen).

ZEITTAFEL

1759 10. November: Johann Christoph Friedrich Schiller wird als 2. Kind in Marbach am Neckar geboren und am folgenden Tag getauft.
1763 24. Dezember: Hauptmann Schiller wird als Werbeoffizier nach Schwäbisch Gmünd kommandiert.
1764–66 Die Familie Schiller in Lorch im Remstal. Erster Unterricht in der Volksschule, Pfarrer Phil. U. Moser: Latein.
1766 Dezember: Der Vater wird in die Garnison zurückversetzt. Umzug nach Ludwigsburg.
1767 Eintritt in die Ludwigsburger Lateinschule, die Schiller bis 1772 besucht.
1768 Aufführung theatralischer Spiele mit ausgeschnittenen Papiergruppen · Strenger Unterricht bei Professor Jahn bis 1771 · Vorbereitung zum Landexamen.
1769 Neujahrsgedicht an die Eltern · Älteste erhaltene Handschrift Schillers.
1772 26. April: Konfirmation. Anlaß zum ersten, verlorengegangenen deutschen Gedicht · Wunsch, Pfarrer zu werden.
1773–80 Schiller in der Carlsschule.
1773 16. Januar: Auf Befehl des Herzogs Carl Eugen Eintritt in die Militärische Pflanzschule auf der Solitude.
1774 Beginn des Studiums der Jurisprudenz · Nur geringe Fortschritte · Freundschaft mit G. F. Scharffenstein, Fr. W. v. Hoven und W. Petersen · Begründung eines Dichterbundes.
1775 18. November: Verlegung der Militärakademie nach Stuttgart · 5. Dezember: Dem Vater Schillers wird die Leitung der Hofgärtnerei übertragen.
1776 Medizin wird neu unter die Lehrfächer der Carlsschule aufgenommen. Schiller wechselt zum Medizinstudium über. *Der Abend*, das erste veröffentlichte Gedicht, gedruckt in: ›Schwäbisches Magazin von gelehrten Sachen‹.
1777 Arbeit an den *Räubern*. Verschiedene dramatische Versuche. Verhaftung Schubarts. Das Gedicht *Der Eroberer* erscheint im ›Schwäbischen Magazin‹.
1779 10. Januar: Festrede zum Geburtstag Franziskas von Hohenheim. Schillers erste Dissertation *Philosophie der Physiologie* in lateinischer Sprache wird nicht zum Druck angenommen · 14. Dezember: Jahresschlußfeier der Akademie. Unter den Gästen: Herzog Carl August von Sachsen-Weimar, Goethe und Wolfgang Heribert von Dalberg. Schiller erhält 3 Preise.
1780 11. Februar: Aufführung von Goethes ›Clavigo‹.

Schiller spielt die Titelrolle »abscheulich«. *Der Sturm auf dem Tyrrhener Meer*, Übersetzung aus Vergils ›Äneis‹ · Schillers zweite Dissertation *Versuch über den Zusammenhang der thierischen Natur des Menschen mit seiner geistigen* wird angenommen und gedruckt · 14. Dezember: Preisverteilung und Entlassung aus der Hohen Carlsschule. Beendigung der *Räuber*.

1781 Schiller als Regimentsmedikus beim Grenadierregiment Augé in Stuttgart mit 18 Gulden Monatsgehalt. Burschikoses Leben mit alten Akademiefreunden. *Die Räuber* erscheinen anonym im Selbstverlag. Beginn der Korrespondenz über eine Theaterbearbeitung der *Räuber* mit dem Intendanten des Mannheimer Nationaltheaters. Redaktion der ›Nachrichten zum Nuzen und Vergnügen‹. Besuch bei Schubart auf der Festung Hohenasperg.

1782 13. Januar: Erstaufführung der *Räuber* in Mannheim. Schiller wohnt der Aufführung ohne Urlaubsgenehmigung bei · Januar: *Die Räuber. Ein Schauspiel mit 5 Akten. Zwote verbesserte Auflage* erscheint bei Tobias Löffler Mannheim als unerlaubter Nachdruck · Februar: *Anthologie auf das Jahr 1782* · *Die Räuber* werden von zahlreichen deutschen Bühnen übernommen. Mitarbeit an der Vierteljahrsschrift ›Wirtembergisches Repertorium der Litteratur‹ · 25.–28. Mai: Zweite Reise ohne Urlaubserlaubnis nach Mannheim · 1.–14. Juli: Arrest wegen unerlaubter Entfernung. Arbeit am *Fiesko*. Der Herzog verbietet weiteres »Komödienschreiben« · 22. September: Flucht von Stuttgart mit A. Streicher · 24. September: Eintreffen in Mannheim · Oktober: Zu Fuß nach Frankfurt a. M. · Oktober-November: im Gasthaus zum Viehhof in Oggersheim, Umarbeitung des *Fiesko*. Auch die zweite Fassung wird abgelehnt · 7. Dezember: Ankunft in Bauerbach bei Meiningen.

1782–83 Schiller in Bauerbach bei Henriette von Wolzogen. Verkehr mit dem Bibliothekar Reinwald in Meiningen.

1783 *Kabale und Liebe* (*Luise Millerin*) vollendet und *Dom Karlos* begonnen. *Die Verschwörung des Fiesko zu Genua. Ein republikanisches Trauerspiel* erscheint bei Schwan in Mannheim · Dalberg knüpft erneut Verbindungen an. Aussichtslose Liebe zu Charlotte von Wolzogen · 27. Juli: Ankunft in Mannheim. Wiedersehen mit Streicher · 13. August: *Luise Millerin* in großer Gesellschaft bei Dalberg vorgelesen · ab 1. September: Schiller als Theaterdichter angestellt. Herbst: Schwere Erkrankung Schillers am »kalten Fieber«.

1784 8. Januar: Wahl in die Kurfürstliche Deutsche Gesellschaft · 11. Januar: Erstaufführung des *Fiesko* ohne besonderen Erfolg · 15. April: *Kabale und Liebe* zwei Tage nach der Uraufführung in Frankfurt zum ersten Mal in Mannheim gespielt. Bekanntschaft mit Charlotte von Kalb · 26. Juni: Sitzung der Deutschen Gesellschaft mit Vortrag Schillers *Vom Wirken der Schaubühne auf das Volk* · 26. Dezember: In Darmstadt vor dem Hof und dem Herzog Carl August von Sachsen-Weimar Vorlesung des 1. Aktes von *Dom Karlos* · 27. Dezember: Carl August verleiht Schiller den Titel eines Weimarischen Rats.

1785 März: Das erste und einzige von Schiller herausgegebene Heft der ›Rheinischen Thalia‹ erscheint. Die Lage in Mannheim wird unerträglich. Keine Vertragsverlängerung. Unglückliche Leidenschaft zu Frau von Kalb. Drückende Schuldenlast · 9. April: Abreise von Mannheim nach Leipzig auf Einladung Christian Gottfried Körners · Bis Juli 1787 in Leipzig, Gohlis, Dresden · Arbeit am *Dom Karlos*. Freundschaft mit Körner, Ludw. Ferd. Huber und den Schwestern Dora und Minna Stock · September: Schiller zunächst in Körners Weinberghaus bei Loschwitz an der Elbe, dann in Dresden. Die Hymne *An die Freude* gedichtet.

1786 Beginn des Geschichtsstudiums. Heft 2 und 3 der ›Thalia‹ erscheinen. Beginn der Arbeit am *Geisterseher*. Abhängigkeit von Körner wird Schiller zur Last

1787 Schiller lernt Henriette von Arnim kennen. Arbeit an *Die Rebellion der Vereinigten Niederlande* · April–Mai: Aufenthalt in Tharandt · Juni: *Dom Karlos* beendet, erscheint bei Göschen in Leipzig. Dramatischer Scherz *Ich habe mich rasieren lassen* · Juli 1787–Mai 1788: Schiller in Weimar · 21. Juli: Ankunft in Weimar. Verkehr mit Charlotte von Kalb, Wieland, Herder, Knebel, Corona Schröter u.a. · 27. Juli: in Tiefurt bei der Herzoginmutter Anna Amalia · August: 6 Tage in Jena · 29. Juli: Erstaufführung des *Dom Karlos* in Hamburg · November/Dezember: Reise nach Meiningen zu seiner Schwester Christophine Reinwald und Frau von Wolzogen · 6. Dezember: Erster Besuch bei der Familie von Lengefeld in Rudolstadt.

1788 Intensive Arbeit an der *Geschichte des Abfalls der Vereinigten Niederlande von der Spanischen Regierung*. Der 1. Band des Werkes erscheint im Oktober bei Crusius in Leipzig · *Die Götter Griechenlands* im März-Heft von Wielands ›Teutschem Merkur‹ · Mai–August: in Volkstedt bei Rudolstadt, dann bis November in Rudolstadt · 7. September: Erste Begegnung mit Goethe im Hause von Lengefeld · 12. November: Rückkehr

nach Weimar · 15. Dezember: Professor für Geschichte in Jena.
1789 März: *Die Künstler* im ›Merkur‹ · 11. Mai: Übersiedlung nach Jena, Wohnung in der Schrammei · 26. Mai: Antrittsvorlesung *Was heißt und zu welchem Ende studiert man Universalgeschichte?* · August: Verlobung mit Charlotte von Lengefeld · · 18. September–22. Oktober: In Rudolstadt und Volkstedt · Im November erscheint bei Göschen *Der Geisterseher. Eine Geschichte aus den Memoiren des Grafen von O.* · 28. Dezember: Wilhelm von Humboldt bei Schiller in Jena.
1790 1. Januar: Schiller bei Herzog Carl August von Sachsen-Weimar; 200 Taler Jahresgehalt · 13. Januar: Schiller erhält den Titel eines Hofrats · 22. Februar: Trauung mit Charlotte von Lengefeld in der Dorfkirche zu Wenigenjena · Mai: Beginn seiner Vorlesung über die *Tragödie.* Arbeit an der *Geschichte des 30jährigen Krieges*, die im ›Historischen Kalender für Damen‹ in den Jahren 1791–93 erscheint. *Der versöhnte Menschenfeind.*
1791 Über Neujahr in Erfurt bei dem Koadjutor Karl Theodor von Dalberg · Januar: Schiller wird Mitglied der Erfurter Kurfürstlichen Akademie nützlicher Wissenschaften · 3. Januar: Mit dem Ausbruch einer Lungenentzündung Beginn der schweren Erkrankungen, von denen sich Schiller nie mehr ganz erholt. Der junge Hardenberg (Novalis) wacht bei ihm mehrere Nächte am Krankenbett. Plan zu einem Trauerspiel *Wallenstein.* Schillers Rezension von Bürgers Gedichten in der ›Jenaischen Allgemeinen Literaturzeitung‹ erregt Aufsehen. Beschäftigung mit Kants ›Kritik der Urteilskraft‹ · Mai: Schwere neue Krämpfe · Juni: Gerüchte vom Tod Schillers dringen nach Dänemark · Juli: Zur Kur in Karlsbad · September: In Erfurt Aufführung des *Dom Karlos* und *Fiesko* · Oktober: Übersetzung von 103 Stanzen aus Vergils ›Äneis‹ · Dezember: Auf Anregung Baggesens bieten Prinz Christian Friedrich von Augustenburg und Graf Ernst von Schimmelmann Schiller für 3 Jahre je 1000 Taler Pension an.
1792 Januar: Neue Krankheitsanfälle. April/Mai: Schiller für 4 Wochen als Gast bei Körner in Dresden · 26. August: Schiller wird das Bürgerrecht der Republik Frankreich verliehen · November: Beginn einer Vorlesung über *Ästhetik.*
1793 Schiller legt seine Ideen über die Philosophie des Schönen in Briefen an den Herzog von Augustenberg dar · März: Neuer Krankheitsanfall · April: Besuch von Wilhelm von Humboldt; Gespräche über ästhetische Fragen. *Über An-*

muth und Würde · August 1793–Mai 1794: Schiller in Württemberg · 8. August: Ankunft in Heilbronn · 8. September: Ankunft in Ludwigsburg · 14. September: Schillers erster Sohn Karl wird geboren · Oktober: Schiller vermittelt Frau von Kalb Hölderlin als Hofmeister · 24. Oktober: Tod Herzog Carl Eugens von Württemberg.

1794 März: Übersiedlung nach Stuttgart. Verkehr mit den Eltern und Freunden. Entstehung der Schiller-Büste Danneckers. Arbeit am *Wallenstein*. Besuch in Tübingen bei Abel. Schiller lernt Cotta kennen · Mai: Rückkehr nach Jena. Wilhelm von Humboldt und Fichte in Jena. Vertrag mit Cotta über ›Die Horen‹ · 20. Juli: Gespräch mit Goethe über die Urpflanze. Annäherung Goethes an Schiller · 27. August: Antwort Goethes auf Schillers großen Brief vom 23. August. Beginn der Freundschaft · September: Schiller als Gast bei Goethe in Weimar. Er übernimmt auf Goethes Wunsch die Theaterbearbeitung des ›Egmont‹.

1795 Januar: Das 1. Heft der ›Horen‹ erscheint · April: Endgültige Ablehnung einer Berufung nach Tübingen · Juli/August: Anhaltende Krämpfe. *Das Reich der Schatten* und die Elegie *Der Spaziergang* erscheinen in den ›Horen‹ · November: Goethe in Jena. Xenien-Plan. Hölderlin in Jena.

1796 Schiller und Goethe besuchen sich wechselseitig in Weimar und Jena. Gemeinsame Arbeit an den *Xenien*. Herausgabe der ›Musenalmanache‹ (erscheinen bis 1800). In den ›Horen‹ Abschluß der Abhandlung *Über naive und sentimentalische Dichtung* · März: Wiederaufnahme der Arbeit am *Wallenstein* · Juni: Zusammentreffen mit Jean Paul · 11. Juli: Geburt Ernst Schillers · 7. September: Tod des Vaters · Herbst: Schlechter Gesundheitszustand.

1797 Arbeit am *Wallenstein*. Kauf eines Gartenhauses in Jena. Im ›Musenalmanach für das Jahr 1797‹ erscheinen Schillers und Goethes *Xenien*. Balladen entstehen. Arbeit häufiger durch Krankheit unterbrochen · November: »Angefangen den *Wallenstein* in Jamben zu machen.« · Dezember: Choleraanfall.

1798 Fortgang der Arbeit am *Wallenstein*. Ende der ›Horen‹. Der ›Musenalmanach für das Jahr 1798‹, der sogenannte »Balladen-Almanach«, enthält zahlreiche Balladen Schillers und Goethes · April: Katarrhfieber und Krämpfe · 5. Oktober: Besuch Schellings · 12. Oktober: *Wallensteins Lager* in Weimar uraufgeführt.

1799 30. Januar: Erstaufführung der *Piccolomini* · 20. April:

Uraufführung von *Wallensteins Tod* im Weimar. Neue dramatische Pläne · April: Beginn der Arbeit an *Maria Stuart* · 11. Oktober: Caroline Schiller geboren. Schillers Frau an einem schweren Nervenfieber erkrankt · Dezember: Umzug nach Weimar. *Das Lied von der Glocke.*

1800 Shakespeares *Macbeth* für die Bühne bearbeitet. Erstaufführung am 14. Mai · Februar: Erkrankt an Nervenfieber · Mai: Zur Vollendung der *Maria Stuart* in Ettersburg · 14. Juni: Erstaufführung von *Maria Stuart* · Juli: *Die Jungfrau von Orleans begonnen.* Enge Verbindung mit dem Weimarer Theater.

1801 Januar: Da Goethe schwer erkrankt, übernimmt Schiller die Leitung der Theaterproben · März: Zur Vollendung der *Jungfrau von Orleans* zieht er sich in sein Jenaer Gartenhaus zurück · August/September: Reise nach Dresden. Bei Körner in Loschwitz · 11. September: Erstaufführung der *Jungfrau von Orleans* in Leipzig · Oktober-Dezember: Bearbeitung der *Turandot* nach Gozzi · Dezember: Heftiger Choleraanfall.

1802 30. Januar: *Turandot* aufgeführt. Erste Beschäftigung mit dem *Tell.* Arbeit an der *Braut von Messina* · 29. April: Einzug in ein neuerworbenes Haus. Am gleichen Tag Tod der Mutter · September: Humboldt auf Besuch in Weimar · 16. November: Schiller wird geadelt.

1803 19. März: Erstaufführung der *Braut von Messina* in Weimar. Übersetzung der französischen Lustspiele *Der Neffe als Onkel* und *Parasit* von Picard. Arbeit am *Tell* · Dezember: Frau von Staël in Weimar.

1804 Im Januar und Februar Vollendung des *Tell* · 17. März: Erstaufführung von *Wilhelm Tell* in Weimar · April: Beginn der Arbeit am *Demetrius* · 26. April – 21. Mai: Berliner Reise; bei Iffland, bei Luise Königin von Preußen: Berlin-Angebot. Carl August verdoppelt das Gehalt; Schiller beschließt, in Weimar zu bleiben · 25. Juli: Emilie Schiller geboren · Juli/August: Kolikanfälle · November: Zum Empfang des weimarischen Erbprinzen und seiner Gemahlin, der russischen Prinzessin Maria Paulowna, schreibt Schiller das Festspiel *Die Huldigung der Künste.*

1805 Heftiges Katarrhfieber. Racines *Phädra* für die Bühne bearbeitet · 30. Januar: Erste Aufführung · März: Wiederaufnahme der Arbeit am *Demetrius* · 29. April: Letztes Zusammensein mit Goethe. Im Theater heftiger Fieberanfall · 9. Mai: Am Morgen Besinnungslosigkeit, gegen 15 Uhr vollkommene

Schwäche, zwischen 17 und 18 Uhr Tod Schillers · 12. Mai: Beisetzung nachts zwischen 24 und 1 Uhr im Kassengewölbe auf dem alten Friedhof der St. Jacobskirche · 13. Mai: Offizielle Totenfeier · 10. August: Totenfeier in Lauchstädt mit Goethes Gedicht ›Epilog zu Schillers Glocke‹.

1826 Schillers Schädel kommt auf Wunsch des Herzogs Carl August in das Postament von Danneckers Büste in der Weimarer Bibliothek.

1827 Auf Veranlassung König Ludwigs I. von Bayern werden die Gebeine Schillers wieder vereinigt und in der herzoglichen Familiengruft auf dem neuen Weimarer Friedhof beigesetzt.

PERSONENREGISTER

BILDNACHWEIS

Ahrensburg bei Hamburg, Museum im Schloß 141
Berlin /DDR, Märkisches Museum 215, 217, 220
Berlin/DDR, Staatl. Museen, National-Galerie 216
Düsseldorf, Goethe-Museum 188
Frankfurt a. M., Goethemuseum / Freies deutsches Hochstift 183
Heidelberg, Kurpfälzisches Museum 32
Jena, Städtisches Museum 123, 124, 172
Leningrad, Schloß Gatschina 59
Lorch, Heimatmuseum 8
Ludwigsburg, Heimatmuseum 10, 11, 57, 147, 152
Mannheim, Reiss-Museum 62, 72
Stuttgart, Württ. Landesmuseum 14, 40
Weimar, Nationale Forschungs- und Gedenkstätten der klassischen deutschen Literatur 12, 86, 95, 106, 176, 234
Privatbesitz und verschollene Originalvorlagen 20, 21, 24, 109, 135, 150, 155, 157, 165, 189, 199

Die Vorlagen für alle übrigen Abbildungen stellte nach eigenen Originalen das Schiller-Nationalmuseum Marbach a. N. in Fotos seiner Fotostelle und nach Aufnahmen der Landesbildstelle Württemberg, Stuttgart, zur Verfügung.

Die Ziffern beziehen sich auf die Nummern der Abbildungen

insel taschenbuch
Leben und Werk

Lou Andreas-Salomé
Leben. Persönlichkeit. Werk. Eine Biographie von Cordula Koepcke. it 905

Johann Sebastian Bach
Leben und Werk in Daten und Bildern. Herausgegeben von Klaus-Peter Richter. it 788

Eine Lebensgeschichte von Charles Sanford Terry. Aus dem Englischen von Alice Klengel. Mit einer Nachbemerkung von Klaus-Peter Richter. it 802

Alban Berg
Leben und Werk in Daten und Bildern. Herausgegeben von Erich Alban Berg. it 194

Bertolt Brecht
Leben und Werk in Daten und Bildern. Mit autobiographischen Texten, einer Zeittafel und einem Essay von Lion Feuchtwanger. it 406

Die Schwestern Brontë
Leben und Werk in Texten und Bildern. Herausgegeben von Elsemarie Maletzke und Christel Schütz. it 814

Hans Carossa
Leben und Werk in Daten und Bildern. Herausgegeben von Eva Kampmann-Carossa. it 348

Goethe
Sein Leben in Bildern und Texten. Vorwort von Adolf Muschg. Herausgegeben von Christoph Michel. it 1000

Heinrich Heine
Leben und Werk in Daten und Bildern. Von Joseph A. Kruse. it 615

Hermann Hesse
Leben und Werk im Bild. Von Volker Michels. Mit dem »Kurzgefaßten Lebenslauf« von Hermann Hesse. it 36

150/1/1.87

insel taschenbuch
Leben und Werk

Hölderlin
Chronik seines Lebens mit ausgewählten Bildnissen. Herausgegeben von Adolf Beck. it 83
Dokumente seines Lebens. Briefe, Tagebuchblätter, Aufzeichnungen. Herausgegeben von Hermann Hesse und Karl Isenberg. it 221

E. T. A. Hoffmann
Leben und Nachlaß. Von Julius Eduard Hitzig. Mit Anmerkungen zum Text und einem Nachwort von Wolfgang Held. it 755

Ödön von Horváth
Leben und Werk in Daten und Bildern. Herausgegeben von Traugott Kirschke. it 237

Erhart Kästner
Leben und Werk in Daten und Bildern. Herausgegeben von Anita Kästner und Reingart Kästner. it 386

Heinrich von Kleist
Leben und Werk im Bild. Herausgegeben von Eberhard Siebert. it 371

Gertrud von le Fort
Leben und Werk in Daten, Bildern und Zeugnissen. Von Gisbert Kranz. it 195

Novalis
Dokumente seines Lebens und Sterbens. Herausgegeben von Hermann Hesse und Karl Isenberg. it 178

Edith Piaf
Die Geschichte der Piaf. Ihr Leben in Texten und Bildern. Von Monique Lange. Aus dem Französischen von Hugo Beyer. Mit einer Discographie. it 516

Rainer Maria Rilke
Leben und Werk im Bild. Mit einer biographischen Einführung und einer Zeittafel. Von Ingeborg Schnack. it 35

150/2/1.87

insel taschenbuch
Leben und Werk

George Sand
Leben und Werk in Daten und Bildern. Herausgegeben von Gisela Spies. it 565

Schiller
Leben und Werk in Daten und Bildern. Ausgewählt und erläutert von Bernhard Zeller und Walter Scheffler. it 226

Reinhold Schneider
Leben und Werk im Bild. In Selbstzeugnissen und Worten der Mitlebenden von Edwin Maria Landau, Maria van Look, Bruno Stephan Scherer. it 318

Voltaire
Das Leben des Voltaire. Aus dem Französischen von Julia Kirchner. it 874

Richard Wagner
Leben und Werk in Daten und Bildern. Herausgegeben von Dietrich Mack und Egon Voss. it 334

Robert Walser
Leben und Werk in Daten und Bildern. Herausgegeben von Elio Fröhlich und Peter Hamm. it 246

Oscar Wilde
Leben und Werk in Daten und Bildern. Herausgegeben von Norbert Kohl. it 158

Stefan Zweig
Leben und Werk im Bild. Herausgegeben und eingeleitet von Donald Prater. Mit einem Essay von Volker Michels. it 528

150/3/1.87

Goethe im Insel Verlag

Goethe, Johann Wolfgang von: Insel-Goethe. 6 Bände. Herausgegeben von Emil Staiger, Walter Höllerer, Hans-J. Weitz, Nobert Miller u. a. Leinen in Kassette.
– – Sonderausgabe. Broschiert.
– Jubiläumsausgabe in sechs Bänden. Aus Anlaß des 150. Todestages am 22. März 1982. Gebunden, mit Dekorüberzug.

Einzelausgaben
– Briefe an Auguste Gräfin zu Stolberg. Herausgegeben und mit einem Nachwort von Jürgen Behrens. Mit Abbildungen und Faksimiles. IB 1015
– Dichtung und Wahrheit. Mit Bildmaterial. 3 Bde. in Kassette. it 149/150/151 und Leinen
– Elegie von Marienbad. September 1823. Faksimile einer Urhandschrift. Herausgegeben von Christoph Michel und Jürgen Behrens. Mit einem Geleitwort von Arthur Henkel. Faksimile und Kommentarband zusammen in Kassette. Leder
– Die erste Schweizer Reise. it 300
– Faust I. Mit Illustrationen von Eugène Delacroix und einem Vorwort von Jörn Göres. it 50
– Faust. Zweiter Teil. Faksimile der Erstausgabe. Leinen und Leder
– Faust II. Mit Federzeichnungen von Max Beckmann. Mit einem Nachwort zum Text von Jörn Göres und zu den Zeichnungen von Friedhelm Fischer. it 100
– Faust. Gesamtausgabe. Leinen und Leder
– Faust. Drei Fassungen. Urfaust. Faust. Ein Fragment. Faust. Eine Tragödie. Herausgegeben mit einem Nachwort von Werner Keller. 2 Bde. it 625
– Frühes Theater. Mit einer Auswahl aus den dramaturgischen Schriften 1771-1828. Herausgegeben und mit einem Nachwort von Dieter Borchmeyer. it 675
– Gedichte in einem Band. Herausgegeben von Heinz Nicolai. Leinen
– Gedichte in zeitlicher Folge. Herausgegeben von Heinz Nicolei. 2 Bde. Leinen und it 350
– Goethes Gedanken über Musik. Eine Sammlung aus seinen Werken, Briefen, Gesprächen und Tagebüchern. Herausgegeben von Hedwig Walwei-Wiegelmann. Mit achtundvierzig Abbildungen erläutert von Hartmut Schmidt. it 800
– Goethes Liebesgedichte. Ausgewählt und herausgegeben von Hans Gerhard Gräf. Mit einem Nachwort von Emil Staiger. Insel-Bibliothek. Leinen und it 275

101/1/2.87

Goethe im Insel Verlag

- Goethes schönste Gedichte. Herausgegeben von Jochen Schmidt. IB 1013
- Die guten Frauen als Gegenbilder der bösen Weiber. Mit Illustrationen von Daniel Chodowiecki. it 925
- Hermann und Dorothea. Mit 10 Kupfern von Catel. it 225
- Iphigenie auf Tauris. Prosafassung. Herausgegeben von Eberhard Haufe. IB 1014
- Hier schicke ich einen Traum. 50 Geschenk- und Albumblätter. Faksimile im Lichtdruck. 1000 Exemplare limitiert. Herausgegeben und kommentiert von Gerhard Femmel. Format 30×40 cm in Kassette eingelegt. Kommentarband 32 S.
- Historische Schriften. Eine Auswahl in biographischer Folge. Herausgegeben von Horst Günther. Mit Zeichnungen von Goethe. it 650
- Italienische Reise. Mit vierzig Zeichnungen des Autors. Herausgegeben und mit einem Nachwort von Christoph Michel. 2 Bde. it 175
- Klassisches Theater. Herausgegeben und mit einem Nachwort von Dieter Borchmeyer. it 700
- Lektüre für Augenblicke. Herausgegeben von Gerhart Baumann. Pappe
- Die Leiden des jungen Werther. Bibliothek deutscher Erst- und Frühausgaben in originalgetreuen Wiedergaben. Herausgegeben von Bernhard Zeller. Leder
- Die Leiden des jungen Werther. Mit einem Essay von Georg Lukács und Illustrationen von Chodowiecki. Nachwort von Jörn Göres. Insel-Bibliothek. Leinen, Leder und it 25
- Märchen. Der neue Paris. Die neue Melusine. Herausgegeben von Katharina Mommsen. it 825
- Der Mann von fünfzig Jahren. Mit einem Nachwort von Adolf Muschg. it 850
- Maximen und Reflexionen. Insel-Bibliothek. Leinen und Leder und it 200
- Novellen. Herausgegeben und mit einem Nachwort von Katharina Mommsen. Mit Federzeichnungen von Max Liebermann. it 425
- Reineke Fuchs. Mit Stahlstichen nach Zeichnungen von Wilhelm Kaulbach. it 125
- Reise-, Zerstreuungs- und Trostbüchlein 1806-1807. 77 zum Teil vierfarbige Tafeln. Herausgegeben und mit einem Nachwort von Christoph Michel. it 400

101/2/2.87

Goethe im Insel Verlag

- Das Römische Carneval. Mit den farbigen Figurinen von 1789 und Goethes Fragmenten »Über Italien«. Herausgegeben von Isabella Kuhn. it 750
- Römische Elegien. Faksimile der Handschrift und Transkription. Mit einem Nachwort von Horst Rüdiger. IB 1010
- Sammelhandschriften Goethescher Gedichte. Faksimile. Mit einem Kommentarband, herausgegeben und kommentiert von Karl-Heinz Hahn. 2 Bde in Kassette.
- Schriften zur Naturwissenschaft. Ausgewählt und herausgegeben von Horst Günther. Mit Zeichnungen des Autors. it 550
- Tagebuch der ersten Schweizer Reise 1775. Mit den Zeichnungen des Autors und einem vollständigen Faksimile der Handschrift. Herausgegeben und erläutert von Hans-Georg Dewitz. it 800
- Tagebuch der Italienischen Reise 1786. Notizen und Briefe aus Italien. Mit Skizzen und Zeichnungen des Autors. Herausgegeben und erläutert von Christoph Michel. it 176
- ›Das Tagebuch‹ Goethes und Rilkes ›Sieben Gedichte‹. Erläutert von Siegfried Unseld. IB 1000
- Über die Deutschen. Herausgegeben von Hans-J. Weitz. it 325
- Die Wahlverwandtschaften. Mit einem Essay von Walter Benjamin. Insel-Bibliothek. Leinen, Leder und it 1
- West-östlicher Divan. Herausgegeben und erläutert von Hans-J. Weitz. Mit Essays zum »Divan« von Hugo von Hofmannsthal, Oskar Loerke und Karl Krolow. Leinen, Leder und it 75
- Wilhelm Meisters Lehrjahre. Leinen, Leder und it 475
- Wilhelm Meisters Wanderjahre oder Die Entsagenden. Mit einem Nachwort von Adolf Muschg. Leinen, Leder und it 575
- Wilhelm Meisters theatralische Sendung. Mit einem Vorwort von Wilhelm Voßkamp. it 725
- Xenien. Von Schiller und Goethe. it 875

Briefe und Gespräche

Goethes Briefwechsel mit Marianne und Johann Jakob Willemer. Dokumente. Lebens-Chronik. Erläuterung. Herausgegeben von Hans-J. Weitz. Mit Abbildungen und Register. Leder und it 900

Goethe–Schiller: Briefwechsel. Neu herausgegeben und mit einer Einleitung versehen von Emil Staiger. Leinen und it 250

Johann Peter Eckermann: Gespräche mit Goethe in den letzten Jahren seines Lebens. Herausgegeben von Fritz Bergemann. 2 Bde. Leder und it 250

101/3/2.87

Goethe im Insel Verlag

Zu Goethe

Goethes Leben und Werk in Daten und Bildern. Herausgegeben von Bernhard Gajek und Franz Götting unter Mitarbeit von Jörn Göres. Mit 517 Abbildungen. Leinen. Sonderausgabe.

Goethes letzte Schweizer Reise. Dargestellt von Barbara Schnyder-Seidel. Mit zeitgenössischen Illustrationen. it 375

Goethe – seine äußere Erscheinung. Literarische und künstlerische Dokumente seiner Zeitgenossen. Zusammengetragen von Emil Schaeffer. Überprüft und ergänzt von Jörn Göres.

Johann Wolfgang Goethe. Sein Leben in Bildern und Texten. Herausgegeben und mit einem Vorwort von Christoph Michel. Gestaltet von Willy Fleckhaus. Mit Erläuterungen zu 500 Abbildungen, einer Chronik und Register. Leinen

Goethe – warum? Eine repräsentative Auslese aus Werken, Briefen und Dokumenten. Herausgegeben und mit einem Nachwort versehen von Katharina Mommsen. it 759

101/4/2.87

Geschenkausgaben
in Suhrkamp und Insel Verlag

Carossa, Hans: Jubiläumsausgabe in fünf Bänden. Insel Verlag

Dostojewskij, F. M.: Die großen Romane in acht Bänden. Insel Verlag

Goethe, Johann Wolfgang von: Jubiläumsausgabe in sechs Bänden. Insel Verlag

Hesse, Hermann: Die Romane und die Großen Erzählungen. Jubiläumsausgabe zum hundertsten Geburtstag. Acht Bände. Suhrkamp Verlag

– Gesammelte Erzählungen. Geschenkausgabe in sechs Bänden. Suhrkamp Verlag

Hölderlin, Friedrich: Geschenkausgabe in vier Bänden. Insel Verlag

Kin Ping Meh: oder Die abenteuerliche Geschichte von Hsi Men und seinen sechs Frauen. Aus dem Chinesischen von Franz Kuhn. Mit Holzschnitten. Geschenkausgabe in vier Bänden. Insel Verlag

Luther, Martin: Ausgewählte Werke in sechs Bänden. Herausgegeben von Karin Bornkamm und Gerhard Ebeling. Im Schmuckschuber. Insel Verlag

Nestroy, Johann: Geschenkausgabe in sechs Bänden. Herausgegeben und mit einer Einführung von Franz H. Mautner. Insel Verlag

Niebelschütz, Wolf von: Der Blaue Kammerherr. Galanter Roman. Geschenkausgabe in vier Bänden. Suhrkamp Verlag

Penzoldt, Ernst: Die schönsten Erzählungen. Geschenkausgabe in fünf Bänden. Suhrkamp Verlag

Proust, Marcel: Auf der Suche nach der verlorenen Zeit. Aus dem Französischen von Eva Rechel-Mertens. Geschenkausgabe in zehn Bänden im Schmuckschuber. Suhrkamp Verlag

Rilke, Rainer Maria: Werke. Geschenkausgabe in sechs Bänden. Ausgewählt und herausgegeben vom Insel Verlag. Mit einer Einleitung von Beda Allemann. Im Schmuckschuber. Insel Verlag

Shakespeare, William: Die großen Dramen, Tragödien, Historien und Komödien. Ausgewählt, nach den Erstdrucken neu übersetzt und erläutert von Rudolf Schaller. Geschenkausgabe in zehn Bänden. Insel Verlag

Tolstoj, Leo N.: Sämtliche Erzählungen. Herausgegeben, übersetzt und mit Anmerkungen von Gisela Drohla. Geschenkausgabe in acht Bänden. Insel Verlag

– Die großen Romane

Wagner, Richard: Dichtungen und Schriften. Herausgegeben von Dieter Borchmeyer. Jubiläumsausgabe in zehn Bänden. Insel Verlag

Walser, Robert: Die Romane und Erzählungen. Geschenkausgabe in sechs Bänden. Suhrkamp Verlag

91/1/8.84